# STAR WARS

# GÉNÉRATION PERDUE

8.95$

Titre original :
*The Lost Ones*

Publié pour la première fois en 1995
par Boulevard/Berkley Books US, Inc.

## Collection « SF » dirigée par
## Jacques GOIMARD

Loi n° 49-956 du 16 juillet 1949 sur les publications
destinées à la jeunesse : mars 1997.

ISBN 2-266-07561-6

# KEVIN ANDERSON
# REBECCA MOESTA

# STAR WARS

# GÉNÉRATION PERDUE

*Traduit de l'américain par*
*Mireille Storm*

# LE CYCLE DE STAR WARS

## DANS L'ORDRE CHRONOLOGIQUE DE LA GUERRE

À notre directrice de collection, Ginger Buchanan, pour son soutien et son enthousiasme. Sans elle, ce projet n'aurait jamais vu le jour. Et si elle n'avait pas décidé de nous laisser écrire plus d'ouvrages, jamais nous n'aurions pu raconter toute l'histoire...

En plus de tout, c'est une personne adorable !

## REMERCIEMENTS

Toute notre reconnaissance va à Lillie E. Mitchell, qui tape plus vite que son ombre. Un grand merci aussi à Jonathan MacGregor, notre lecteur « test » qui nous apporte l'enthousiasme de la jeunesse. Même chose pour Karen Haber et Robert Silverberg, qui nous ont permis d'utiliser leurs surnoms ( en les modifiant un peu ).

Comme toujours, Sue Rostoni et Lucy Wilson, de Lucasfilm, nous ont fait bénéficier de leurs compétences et de leurs suggestions.

Quant à Norys Davila, du programme « Célébrités Mondiales » de Walt Disney, avec un nom aussi formidable, comment aurait-on pu résister à l'utiliser !

# CHAPITRE PREMIER

Sur les écrans arrière du *Faucon Millenium*, la lueur vert émeraude de la lune nommée Yavin 4 mourut. Jaina Solo poussa un soupir d'aise.

— Retrouver la maison sera génial, non, Jacen ? dit-elle à son frère.

— Je n'aurais jamais cru en arriver à dire un truc pareil, admit Jacen, mais passer un mois sur Coruscant avec papa et maman et notre petit frère me paraît une excellente idée.

— Voilà ce que j'appelle un signe de maturité..., le taquina Jaina.

— Chez *moi* ? s'indigna Jacen. Il n'y a aucun risque !

Pour démontrer à quel point cette suggestion était absurde, il arbora le sourire en coin qui le faisait tant ressembler à une version miniature de leur père, Yan Solo.

— Tu veux que je te raconte une histoire drôle ?

Arrangeant d'une pichenette une mèche rebelle, Jaina leva les yeux au ciel.

— Je parie que tu ne tiendras aucun compte d'une réponse négative ! Mais j'ai une meilleure idée... Pourquoi ne pas rejoindre Tenel Ka dans le cockpit pour tenter ta chance avec elle ?

Comptant parmi leurs plus proches amis à l'Académie Jedi, la guerrière de Dathomir n'avait jamais *souri* aux plaisanteries de Jacen, qui tentait pourtant tous les jours de lui arracher une réaction.

— J'aimerais d'abord tester cette blague sur un public acquis à ma cause. Ensuite, j'irai à la recherche de Lowie qui a un sens de l'humour convenable, pour un Wookie. Si je le trouve...

— Cela ne doit pas être trop difficile. Le *Faucon* n'est pas si grand que ça, et les chances de le dénicher près d'un équipement informatique sont excellentes.

— Tu essaies de me distraire pour que j'oublie mon histoire ! Es-tu prête à l'entendre, maintenant ?

La patience d'une sœur n'ayant pas de limites, Jaina acquiesça.

— Écoute ça : pourquoi oncle Luke se méfie toujours des idées géniales de Lando Calrissian ?

— Aucune idée...

— Parce qu'il n'a pas un *Yoda* de jugeote !

Jacen s'esclaffa de bon cœur, très content de lui.

Sa sœur le dévisagea, le sourcil levé, feignant une exaspération profonde.

— Même Lowie ne rira pas de ça !

— Et moi qui pensais que c'était un des meilleurs

jeux de mots de tous les temps ! ( L'adolescent fit la moue. ) J'y ai beaucoup réfléchi !

Puis son horizon sembla s'éclairer un brin.

— Tu crois que Zekk est toujours sur Coruscant ? Il savait apprécier mes plaisanteries, *lui* !

Jaina sourit en songeant à leur malicieux copain, un orphelin qui avait grandi dans les rues. Depuis quelque temps, le vieux Peckhum, qui approvisionnait l'Académie Jedi, l'avait pris sous son aile protectrice.

Deux ans plus âgé que les jumeaux, Zekk débordait de ressources tirées des diverses aventures d'une vie mouvementée. Jaina l'aurait écouté pendant des heures décrire son enfance sur Ennth. Lors de la destruction de sa planète natale par une catastrophe naturelle, l'enfant, déjà vif et décidé, s'était échappé sur un transporteur de marchandises.

La jeune fille admirait la détermination de son ami aux cheveux noirs, qui n'en faisait toujours qu'à sa tête. Quand le capitaine du cargo avait suggéré qu'on s'occuperait sans doute mieux de lui dans un orphelinat ou dans une famille d'adoption, il avait sans hésiter abandonné ce gîte provisoire pour un autre vaisseau en partance.

Il avait voyagé de planète en planète, travaillant parfois comme mousse ou attendant des jours meilleurs en jouant les passagers clandestins. Puis il avait rencontré le vieux Peckhum, en route pour Coruscant. Peut-être leur farouche désir d'indépendance les avait-il rapprochés...

Devenus rapidement amis, ils ne s'étaient plus quittés depuis.

— Oui, Zekk pourrait rire de ta touchante tentative... Il a un sens de l'humour étrange !

Yavin 4, qui abritait l'Académie Jedi, disparut dans les profondeurs de l'espace.

Émerveillés, Jaina et Jacen admirèrent les étoiles sur les écrans du *Faucon Millenium*, qui s'apprêtait à plonger dans l'hyperespace pour gagner Coruscant... et la maison !

Assis à la table de jeux holographiques du petit salon, Jacen étudiait une position. Il se torturait les méninges pour découvrir la stratégie qui réduirait à néant l'avantage que Lowie s'était acquis avec son gambit.

— À toi de jouer, dit Tenel Ka de sa voix froide et posée.

Le fils de Yan Solo avait voulu impressionner la galerie en gagnant quelques parties, mais se concentrer avec Tenel Ka dans les parages relevait de l'exploit. Les bras nus croisés sur sa tunique en peau de reptile, elle observait chacun de ses gestes. Dès qu'elle bougeait, les innombrables tresses qui disciplinaient sa longue chevelure rousse jaillissaient comme des étincelles autour de sa tête et de ses épaules.

De l'autre côté de la table, Jaina parlait à voix basse au Wookie en désignant du doigt plusieurs pièces du jeu holographique.

Les minuscules figurines elles-mêmes semblaient mourir d'impatience en attendant la décision de Jacen, conscient de n'avoir aucune chance contre un expert en ordinateurs aidé par sa sœur !

— Nous quitterons l'hyperespace dans environ

cinq minutes, annonça Yan Solo depuis le cockpit. Les enfants, vous êtes prêts ?

Jacen se leva d'un bond, ravi de cette interruption.

— Papa, on pourrait s'entraîner au tir ?

Voilà une chose où il excellait !

Leur père avait inventé un exercice : chaque fois qu'ils revenaient vers Coruscant dans le *Faucon Millenium*, les jumeaux prenaient place dans les tourelles. En approchant de l'orbite, ils tentaient de repérer les caissons métalliques et autres débris abandonnés à l'espace lors des batailles qui avaient fait rage autour de Coruscant deux décennies plus tôt.

— On ne trouve jamais assez de cibles pour pouvoir tirer tous les deux, maugréa Jaina.

— Ah oui ? lança son frère avec un grand sourire de défi. Tu dis ça parce que la dernière fois j'ai fait mouche, et toi non. Je mets ma main à couper que nous trouverons une épave. J'ai un *bon* pressentiment aujourd'hui ! ( Il haussa les épaules. ) Mais si tu ne te sens pas à la hauteur...

Impossible de se laisser dire une chose pareille ! Jaina sourit :

— On attend quoi pour y aller ?

Et elle bondit vers son poste de tir, son frère sprintant pour atteindre l'autre, Tenel Ka dans son sillage. Toujours animé du désir de lui prêter main-forte, Lowie rejoignit son amie humaine.

Abandonnés, les héros et les monstres du jeu holographique passèrent en mode veille. Ils resteraient ainsi jusqu'à ce que le bon vouloir des jeunes gens les ramène à la vie.

Jacen s'installa sur le siège du canon inférieur. Il

attacha la ceinture de sécurité, un peu longue pour quelqu'un de son gabarit, et se concentra sur les diverses commandes de mise à feu.

Tenel Ka arriva à côté de lui, ses yeux gris déjà rivés sur les affichages.

— Surveille cet écran, dit Jacen. Tu m'aideras à trouver un objectif. Il reste beaucoup de débris par ici, mais ils sont assez petits.

— Les objets minuscules sont susceptibles d'endommager dangereusement les vaisseaux non prévenus, lui rappela la jeune fille.

— C'est un fait. ( Jacen reprenait là une des expressions favorites de son amie. ) Et c'est pourquoi nous faisons un peu de ménage dès que l'occasion se présente.

Des sifflements de lasers leur parvinrent de l'autre poste d'armement, accompagnés d'un grognement de satisfaction indubitablement wookie.

— Comment a-t-elle pu repérer quelque chose si vite ? s'étonna Jacen.

Son « assistante » se contenta de désigner du doigt quelques lignes brillantes, sur l'écran de visée.

— En effet ! J'aurais pu les voir si je faisais attention !

Le garçon fit pivoter l'arme en fonction de l'objectif, puis se concentra sur le réticule de visée. Peut-être l'objet qui approchait était-il un fragment de blindage d'un destroyer, ou un conteneur abandonné par un contrebandier en fuite...

— Reste comme ça, ordonna Tenel Ka. Vise bien... feu !

Réagissant au quart de tour, Jacen appuya sur les

touches d'activation des lasers. Les rayons lumineux désintégrèrent l'amas de débris.

— Youpi ! cria le jeune garçon.

Y avait-il un écho dans l'autre poste de tir ?

— Jaina a dû également atteindre sa cible, constata Tenel Ka.

— Attention à ne pas vous prendre pour les vengeurs masqués de la galaxie, les gamins !

Yan avait suivi les exploits de sa progéniture depuis le cockpit. Chewbacca grogna un commentaire de la même eau.

— Nous rendons la galaxie plus sûre pour les voyageurs, papa, répondit son fils.

— On est à égalité. Une autre tentative, s'il te plaît ! supplia Jaina.

— Vous êtes *toujours* à égalité, les jumeaux, répondit Yan. Si je vous laisse tirer jusqu'à ce que l'un de vous touche quelque chose et l'autre non, on sera encore en orbite dans un an. Allez, cessez les hostilités. Nous sommes presque arrivés.

Le *Faucon Millenium* à peine posé sur le toit d'un immeuble, Lowbacca desserra le harnais obligatoire pendant tous les décollages et atterrissages, même s'ils ne présentaient aucun risque, comme cette arrivée sur Coruscant. Malgré le plaisir qu'il avait pris à optimiser un des ordinateurs du vaisseau, il avait hâte de se retrouver à l'air libre.

Il n'y aurait pas d'arbres dignes de ce nom, mais il repérerait sans doute quelques endroits assez élevés à son goût.

Avant que Lowie ait pu dévaler la rampe d'accès du *Faucon Millenium*, Jacen et Jaina le doublèrent à toute allure pour se jeter dans les bras de leur mère. Leia Organa Solo, devenue présidente de la Nouvelle République, les attendait en compagnie de son jeune fils, Anakin, et du fameux droïd de protocole, Z-6P0.

Lowie activa le module de traduction miniaturisé qu'il portait à la hanche et poursuivit son chemin. Voir ces retrouvailles joyeuses lui serrait le cœur.

Anakin s'agita à côté de ses aînés, posant mille questions, et ouvrant grands ses yeux bleu acier pour ne rien manquer. Ses magnifiques cheveux bruns formant les célèbres macarons, Leia observait ses trois enfants avec une fierté et une affection toutes maternelles. Quand Yan Solo eut rejoint le petit groupe, les embrassades reprirent de plus belle.

Sa famille, restée sur la lointaine Kashyyyk, manquait parfois cruellement à Lowie.

— Merci de nous avoir permis d'amener nos copains, maman, dit Jaina.

— Vos amis sont toujours les bienvenus.

Leia avança pour accueillir le jeune Wookie d'une accolade chaleureuse et Tenel Ka d'une esquisse de révérence.

— Nous sommes très honorés de votre visite. Je vous en prie, considérez-vous comme chez vous dans le palais.

La voix aiguë de DTM résonna alors que son jeune maître avait gardé le silence :

— Ah, Z-6P0 ! Mon homologue, mon prédécesseur, mon... *mentor* ! J'ai tant de données à vous transmettre ! Vous n'en reviendrez pas d'apprendre les aventures que j'ai vécues depuis que Chewbacca m'a laissé à l'Académie Jedi...

— Je n'en doute pas ! DTM, tout le plaisir de vous revoir est pour moi, répondit le droïd doré. Toutefois, je doute que vos tribulations soient le moins du monde comparables aux responsabilités diplomatiques qui m'accablent sur Coruscant. Vous n'imaginez pas à quel point les ambassadeurs des autres mondes peuvent être susceptibles !

Pendant que les deux droïds cancanaient de leurs voix artificielles presque identiques, le grand Wookie, ayant terminé les procédures de mise en veille du *Faucon*, approcha de son neveu. Lowie enleva le traducteur de sa ceinture et le tendit à Z-6P0 pour que tous deux parlent *boutique* à loisir.

Chewbacca posa une main consolante sur l'épaule poilue de l'adolescent ; il avait senti le mal du pays l'envahir quand le souvenir de son monde natal, de ses parents et de sa sœur était remonté à la surface.

Pour le faire penser à autre chose, Chewie se lança dans une description détaillée de la chambre qu'il avait choisie pour son neveu. Située pratiquement au sommet du Palais Impérial, elle ne lui permettrait pas d'apercevoir la forêt, mais la vue était quand même splendide. Lowie s'y sentirait en sécurité. Le confort était amélioré par la présence de hamacs suspendus à des petits arbres et de plantes luxuriantes formant une quasi-jungle.

Ce n'était pas aussi bien que Kashyyyk et les habitations des cimes, conclut Chewie, mais ce serait génial pour des vacances.

Tenel Ka écarquilla les yeux devant la magnificence de la pièce choisie pour elle par Leia Organa

Solo : des meubles richement sculptés, des rideaux d'une étoffe précieuse, un lit luxueux et douillet...

Comme au Palais de la Fontaine, sur Hapès. Tenel Ka frissonna. Elle était princesse de Hapès, puisque son père, le fils de la dernière matriarche du royaume, gouvernait à présent la Confédération avec son épouse, originaire de Dathomir. La jeune fille n'avait jamais révélé tout ça à ses amis, car elle préférait revendiquer l'héritage de sa mère et de sa farouche planète.

Le Palais ressemblait vraiment à son monde natal ; Tenel Ka n'appréciait plus du tout ces commodités trop *civilisées*.

— Il faut faire quelque chose, affirma-t-elle à haute voix.

Approchant du lit, Tenel Ka retira les couvertures pour les placer à même le sol en pierre polie. S'y allongeant, elle hocha la tête, satisfaite. La pièce ne paraissait plus aussi raffinée et moelleuse, devenant ainsi plus digne d'être l'environnement d'une guerrière endurcie.

C'était un fait.

# CHAPITRE II

À son réveil, le lendemain matin, Jaina écouta longuement les bruits familiers de Coruscant. Quelle différence avec la jungle de Yavin 4 ! La capitale de la Nouvelle République, qui occupait toute la planète, ne s'endormait jamais. L'énergie et l'intensité qui la caractérisaient se transmettaient à tous les aspects de la vie. Seule la lune minuscule parvenait à se coucher un moment, quelques heures avant l'aube...

Jacen clignait encore des yeux quand il s'assit à la table du petit déjeuner. Tenel Ka et Lowbacca, des lève-tôt, avaient déjà attaqué le premier repas de la journée. Z-6P0 s'affairait autour d'eux, mettant tout en œuvre pour que les invités ne manquent de rien.

Lowie se régalait de morceaux de viande chauds, mais crus, présentés sur une assiette décorée de reliefs entrelacés ; Z-6P0 avait sorti la vaisselle des grandes occasions et garni la table avec soin.

Peu coutumier du luxe, le jeune Wookie avait quelque difficulté à distinguer la viande des feuilles et des petites fleurs qui l'entouraient.

Tenel Ka se servait d'une dague de cérémonie pour découper son fruit.

— Bonjour, maîtresse Jaina, maître Jacen ! Quelle joie de vous avoir de nouveau parmi nous !

Z-6P0 avait salué les jumeaux avec sa courtoisie habituelle. Vraiment, retrouver la maison était délicieux...

Jaina regarda la verrière holographique qui occupait tout un mur de la salle. Il s'agissait en réalité d'une image virtuelle transmise par une des autres tours de la cité. Leur mère dirigeant l'État, les responsables de la sécurité exigeaient que sa famille soit protégée et que ses appartements ne soient pas accessibles sans qu'on ait à montrer patte blanche. En conséquence, ils étaient nichés au cœur du palais et dépourvus de fenêtre.

De nombreux diplomates, dispersés dans toute la ville, voyaient le même trompe-l'œil en ce moment...

— Merci, 6P0, dit Jacen. Nous attendions ces vacances avec impatience. Oncle Luke nous a appris quelques trucs Jedi extraordinaires, mais c'est parfois épuisant.

Le droïd frappa dans ses mains dorées.

— Je suis enchanté de vous l'entendre dire, Jacen. Bien qu'étant fort pris par l'éducation du jeune maître Anakin, j'ai pris la liberté d'élaborer un programme d'études pour la période que vous passerez sur Coruscant. Vos amis seront les bienvenus dans la classe. Ce sera comme au temps jadis quand nous étions tous réunis !

— Classe... école ! marmonna Jacen en s'attaquant à son petit déjeuner. Tu plaisantes, non ?

— Non, maître Jacen, répondit Z-6P0, sérieux comme un Jedi. Vous ne devez pas négliger vos études.

— Excuse-nous, 6P0, intervint Jaina, mais nous avions d'autres projets pour aujourd'hui.

Avant que le droïd puisse exprimer ses objections, Leia entra dans la pièce.

— Bonjour, les enfants ! lança-t-elle en embrassant les jumeaux.

Leia était toujours aussi belle que sur l'hologramme datant de l'époque de la Rébellion que Jaina avait si souvent admiré. Depuis, sa mère faisait face à des responsabilités politiques auxquelles elle consacrait le plus clair de son temps. Trancher les nœuds gordiens de la diplomatie intergalactique était devenu son lot quotidien.

— Quel est ton programme, aujourd'hui, maman ? demanda Jaina.

Leia soupira et roula des yeux — un tic que sa fille imitait souvent sans s'en rendre compte.

— J'ai une réunion avec les représentants du Peuple Hurlant des Arbres de Bendone... Ils parlent une langue si étrange qu'il nous faut une *équipe* de traducteurs. Engager la conversation me prendra toute la matinée. Et leurs voix ultrasoniques me donnent la migraine !

Leia se frotta les tempes en fermant les yeux.

Puis elle respira un bon coup et se força à sourire aux enfants :

— Mais ces contraintes font partie de mon travail. Nous devons procurer des alliés à la Nouvelle République, car les menaces persistent.

— C'est un fait, affirma Tenel Ka avec sa brusquerie habituelle. L'Académie de l'Ombre et le Second Imperium nous l'ont prouvé.

Lowbacca grogna au souvenir du moment douloureux que les jumeaux et lui avaient vécu à bord de la station d'entraînement impériale.

— Maman, j'ai quelque chose qui va améliorer ton humeur, déclara Jacen en fourrant sa main dans la poche. Un cadeau pour toi.

Il exhiba la gemme étincelante qu'il avait « pêchée » avec les équipements spéciaux de la mine de pierres précieuses que Lando Calrissian exploitait sur la géante gazeuse Yavin.

Stupéfaite, Leia regarda son fils.

— Mais c'est une gemme corusca ! L'as-tu trouvée sur la station des Pêcheurs de Gemmes ?

— Oui, répondit Jacen, plutôt satisfait de lui-même. Je l'ai utilisée pour me libérer de la cellule où j'étais emprisonné, à l'Académie de l'Ombre. Aimerais-tu la garder ?

Leia ne cacha pas qu'elle était émue. Néanmoins, elle referma les doigts de son fils sur le superbe objet.

— Que tu aies pensé à me l'offrir est déjà un cadeau extraordinaire. Mais je n'ai plus besoin de bijoux ni de trésors. Je voudrais que tu la gardes, et que tu en fasses un bon usage. Tu trouveras ce qui convient, j'en suis sûre !

Embarrassé, Jacen rougit quand sa mère le serra très fort entre ses bras.

Sur ces entrefaites, Yan Solo débarqua dans la salle à manger, en pleine forme, les cheveux encore humides après sa douche.

— Alors, les moustiques, qu'allez-vous faire de cette journée ?

Jaina se jeta au cou de son père.

— Bonjour, papa ! Nous essayerons de voir Zekk pour apprendre les dernières nouvelles.

— Ce jeune pilleur d'épaves débraillé ? demanda Yan avec un petit sourire.

— Il n'est pas débraillé ! s'indigna la jeune fille, sur la défensive.

— Je plaisantais, petite, la rassura son père.

— Mais faites attention à ne pas vous attirer d'ennuis, dit Leia.

— Des ennuis ? ( Jacen semblait innocent comme l'agneau. ) *Nous ?*

— Tout à fait, insista sa mère. Rappelez-vous que nous avons un banquet très important demain soir. Je ne voudrais pas vous voir entre les mains d'un droïd médical avec une entorse à la cheville... ou pire !

Venu chercher Anakin pour l'emmener en classe, Z-6P0 les interrompit :

— J'aimerais que vous me confiiez les enfants pour qu'ils étudient, maîtresse Leia. Ils seraient tellement plus en sécurité !

Anakin traînait les pieds, frustré de ne pas pouvoir partir à l'aventure avec ses aînés.

Toujours accroché à la ceinture de son jeune maître wookie, DTM y alla de sa tirade :

— N'ayez crainte, cher et consciencieux collègue ! Je me charge de veiller à ce qu'ils se comportent avec la plus grande prudence ! Vous pouvez compter sur moi.

Lowbacca grogna un commentaire qui, aux oreilles de Jaina, semblait rien moins qu'approbateur.

Encore des désillusions en perspective pour le traducteur !

Arrivés à l'air libre, les quatre amis attendirent près du centre d'information touristique de Coruscant, implanté sur une plate-forme fixée à la façade du palais pyramidal. De toute la galaxie, des émissaires officiels et de simples curieux affluaient dans la capitale de la Nouvelle République pour visiter les parcs et les musées, voir les antiques sculptures et admirer les monuments bâtis au cours des siècles par les artisans de cultures disparues.

Un droïd-guide flottait dans les airs, débitant avec enthousiasme la liste des merveilles à ne pas manquer. Ensuite, il récita un annuaire des restaurants, classés en fonction des exigences biochimiques des différentes races, et conseilla des excursions, adaptées à toutes les formes de corps possibles et, bien entendu, aux besoins en atmosphère respirable les plus divers.

Espérant voir surgir un visage familier, Jaina sonda la foule, où se croisaient des ambassadeurs tout de blanc vêtus, des droïds hyperactifs et des créatures exotiques tenant en laisse d'autres êtres, tout aussi étranges. Comment distinguer les maîtres des animaux de compagnie ?

— Alors, que fait-il donc ? s'exclama Jacen, impatient.

Au-dessus des quatre apprentis Jedi, la reproduction d'une gargouille, équipée d'un haut-parleur intégré, annonçait les horaires des navettes spatiales. Jaina regarda les silhouettes argentées émerger des nuages qui obscurcissaient le ciel. Pour passer le temps, elle tenta d'identifier le type des vaisseaux. Cette activité ne l'empêchait pas de penser sans cesse à ce qui avait bien pu retenir leur ami.

Vérifiant son chronomètre, la jeune fille constata que son retard était pour l'instant de deux minutes. Elle avait tellement hâte de revoir Zekk que les secondes semblaient durer des heures !

Soudain, quelqu'un atterrit devant elle, après avoir sauté de la statue. C'était un adolescent maigre aux cheveux longs jusqu'aux épaules. Il sourit de toutes ses dents, ses yeux vert émeraude brillants de malice.

— Salut, les gars !

Jaina recula d'instinct, mais Tenel Ka réagit à une vitesse époustouflante. Dans la fraction de seconde suivant l'apparition, la jeune guerrière déroula sa fidèle corde et la lança autour de la taille de Zekk.

Elle tira un coup sec pour assurer sa prise.

— Hé ! cria l'adolescent. C'est la façon Jedi de dire bonjour aux copains ?

Jacen éclata de rire et flanqua une tape dans le dos de Tenel Ka.

— Elle est bonne, celle-là ! Tenel Ka, voici notre ami Zekk.

La jeune fille déglutit avec quelque difficulté.

— C'est un plaisir de te rencontrer.

— Tout le plaisir est pour moi, répondit Zekk, se

contorsionnant dans sa ceinture improvisée. Si ça ne te fait rien, tu pourrais me libérer, maintenant ?

Tenel Ka récupéra son lasso d'une main sûre.

Pendant que Zekk s'ébrouait, Jaina lui présenta le Wookie.

Ayant recouvré ses esprits, le gamin des rues prit la direction des événements :

— Je vous attendais, les gars. Nous avons plein de trucs à voir et à faire... J'ai besoin de votre aide pour récupérer quelque chose.

Malgré son apparence fluette, Zekk était aussi résistant qu'une armure à l'épreuve des blasters. Débarrassé de la crasse qui couvrait son visage, il devait être plutôt joli garçon, songea Jaina.

Mais qu'est-ce que ça voulait dire ? Elle n'allait pas se mettre à reprocher ce genre de choses aux copains !

— Où allons-nous ? demanda Jacen, plein d'entrain.

— Quelque part où nous ne sommes pas censés nous rendre, bien sûr !

Jaina rit de bon cœur.

— Qu'attendons-nous pour partir ?


Jacen tentait d'embrasser du regard la cité qui s'étendait à l'infini. Tant d'endroits restaient à explorer !

Avant d'être le centre nerveux de la Nouvelle République, Coruscant avait été la capitale de l'Empire, et, plus tôt encore, celle de l'Ancienne République. Les gratte-ciel couvraient tout le sol, les immeubles se superposant à mesure que les siècles et les régimes défilaient. Les plus grandes constructions atteignaient des kilomètres de haut.

Les sanglantes batailles contre l'Empire avaient laissé d'importants stigmates. Certaines zones détruites de la mégalopole restaient couvertes de décombres ; dans les niveaux inférieurs, à l'abandon, les détritus s'empilaient, formant l'humus d'une nouvelle misère.

Les bâtiments atteignaient de telles hauteurs qu'ils formaient de véritables « gorges » au fond desquelles la lumière du jour ne pénétrait jamais. Les liaisons inter-immeubles, assurées par des passerelles et des ponts couverts, tissaient une toile d'araignée géante.

En général, les quarante ou cinquante premiers étages ne servaient pas au trafic normal. Des hors-la-loi peuplaient ces bas-fonds où seuls des chasseurs de gros gibier téméraires s'aventuraient dans l'espoir de capturer quelque monstre de légende.

Comme s'il y était né, Zekk conduisait les quatre vacanciers à travers un labyrinthe d'ascenseurs, de conduits inclinés, d'escaliers en métal rouillé et de passerelles vacillantes.

Jacen suivait, enthousiasmé par la nouveauté. Seul, il n'aurait pas retrouvé son chemin, mais sa passion pour la découverte d'endroits inconnus l'emportait sur l'appréhension. Qui pouvait prédire quels types de plantes ou de créatures ils allaient rencontrer ?

Le jour n'était plus qu'une étroite fente de lumière, loin au-dessus du groupe d'adolescents. Plus ils descendaient, plus les bâtiments paraissaient larges et les façades grossières. Des champignons poussaient dans les fissures ; du lichen, parfois phospho-rescent, couvrait de larges pans de mur.

Visiblement, Lowbacca ne se sentait pas à l'aise ; Jacen se rappela que le Wookie avait grandi sur Kashyyyk, où ses semblables habitaient des cités construites dans des arbres d'une hauteur vertigi-neuse et où les sous-bois regorgeaient de dangers.

Dans le « ciel », des créatures poussaient des cris stridents : c'étaient des faucons-souris, une espèce de prédateurs vivant dans la cité de Coruscant.

Une brise se leva, transportant les relents tièdes et lourds de déchets en décomposition. Jacen nota les protestations de son estomac, mais refusa d'y prêter attention. Zekk ne semblait rien sentir. Tenel Ka, Lowie et Jaina se pressaient derrière.

Ils avancèrent le long d'un passage pratiqué dans le toit d'un immeuble. Une grande partie des pan-neaux en transpacier ayant été démontés, il ne restait que l'armature, qui se balançait sous l'effet des courants ascendants.

Jacen remarqua des symboles gravés dans les murs, tous plus ou moins lourds de menace. Cer-tains rappelaient des couteaux ou des gueules armées de crocs. Le dessin le plus fréquent repré-sentait un triangle entourant un réticule ; on eût dit la pointe d'une flèche visant entre deux yeux. Du moins était-ce l'impression que ça faisait à Jacen.

— Que signifie ce triangle ? demanda-t-il.

Après avoir jeté un regard autour de lui et posé un doigt sur sa bouche, Zekk souffla :

— Il signifie que nous devons nous tenir à car-reau et nous dépêcher un maximum. Nous n'entre-rons dans aucun de ces bâtiments.

— Et pourquoi ? insista Jacen.

— Génération Perdue, expliqua Zekk. C'est une bande. Des jeunes qui viennent vivre ici après avoir fugué ou avoir été fichus dehors par leurs parents parce qu'ils posaient trop de problèmes. Des types peu recommandables, pour la plupart.

— Espérons qu'ils restent *perdus*, commenta Jaina.

— Il est possible que des membres de ce gang nous observent en ce moment, dit Zekk, sourcils froncés. Ils n'ont jamais réussi à m'attraper. C'est une sorte de jeu entre nous.

— Comment arrives-tu à leur échapper ? murmura Jaina, inquiète pour son ami.

— Je suis doué, tout simplement. Je suis aussi un bon *pisteur* d'objets récupérables. ( Zekk s'exprimait avec une fierté touchante de naïveté. ) Je ne participe pas à un entraînement de Chevalier Jedi, mais je me débrouille avec mes atouts. Comme on doit faire dans la rue, je suppose.

« Même en ayant une sorte de convention de non-agression avec eux, je ne voudrais pas pousser le bouchon trop loin. Surtout en compagnie des jumeaux de la présidente.

— C'est un fait, confirma Tenel Ka.

Elle gardait les mains sur sa ceinture pour être prête s'il fallait dégainer une arme.

Dans les couloirs « décorés » par les impressionnants symboles de la bande, Jacen remarqua les traces d'un passage récent : des emballages d'aliments et des conteneurs métalliques encore brillants ayant renfermé des équipements *récupérés*.

Ils atteignirent un niveau sans inscriptions. Tous respirèrent plus librement, même si Zekk leur avoua ne pas connaître ce coin à fond.

— Je pense que c'est un raccourci. J'ai besoin de votre aide pour me procurer un objet de très grande valeur. Vous serez intéressés — surtout toi, Jacen.

Zekk gagnait sa vie en récupérant des équipements ou en « extrayant » des fragments de métal précieux des habitations abandonnées. Il vendait aux ingénieurs des trésors perdus et des pièces de rechange de machines anciennes, et aux touristes des babioles susceptibles de servir de souvenirs...

Le jeune garçon avait le talent de découvrir les objets à côté desquels les autres *ferrailleurs* étaient passés pendant des siècles. Sachant où chercher, parfois dans les endroits les plus invraisemblables, il ne revenait jamais bredouille.

À présent, les adolescents descendaient un escalier extérieur glissant à cause de la mousse qui poussait à foison dans l'humidité qui suintait des murs. Voir les marches relevait de l'exploit !

Ayant contourné un coin d'immeuble, Zekk s'arrêta, surpris. Dans la pénombre, Jacen aperçut un empilement bizarre près du bâtiment : des briques cassées, des grillages en duracier, et... une navette de transport écrasée !

La masse de champignons couvrant la coque indiquait qu'elle se trouvait là depuis longtemps.

— Ouah ! s'écria Zekk. Je ne savais pas qu'il y avait une épave ici. Vous voyez, j'ai encore de la chance !

Tout excité, le jeune garçon se fraya un chemin dans les débris pour faire le tour de sa trouvaille.

— Je n'en crois pas mes yeux. Aucune pièce n'a encore été récupérée !

— C'est un vaisseau de l'Ancienne République, dit Jaina, vieux de soixante-dix ans au moins. Ce modèle n'est plus utilisé depuis... depuis... je ne me souviens même pas ! Quelle découverte !

Tenel Ka et Lowie, les plus costauds, assurèrent la stabilité du navire pendant que Zekk grimpait à l'intérieur pour un premier examen. Il ouvrit les compartiments de stockage susceptibles de contenir des objets précieux.

— Des tas de composants sont toujours intacts. Les moteurs semblent en bon état... Et voilà le pilote ! Son autorisation d'atterrissage doit être périmée.

Jacen vint à la hauteur de son ami pour étudier à son tour le squelette attaché au siège de pilotage.

— Oh, soyez prudents, intervint DTM, toujours pendu à la ceinture de Lowbacca. Les véhicules abandonnés sont terriblement dangereux ; en plus, vous pourriez vous salir !

— C'est ce que tu voulais nous montrer, Zekk ? demanda Tenel Ka.

Le garçon se releva, se cognant la tête contre le plafond de la navette.

— Non, c'est tout nouveau pour moi. Il va falloir que je passe un peu plus de temps dans ces parages. Mais je peux m'en occuper plus tard. Il me faut votre aide pour autre chose. Allons-y.

Le visage barbouillé de graisse de moteur et les mains poussiéreuses pour avoir fouillé les casiers, Zekk sortit de l'épave en s'agrippant au garde-corps rouillé de la passerelle instable. Il regarda autour de lui pour mémoriser la position de son nouveau trésor.

De ses orbites vides, le malheureux pilote sembla regarder partir les adolescents.

— Tu connais vraiment cet endroit comme ta poche, fit remarquer Jacen tandis que Zekk les emmenait vers leur objectif du jour.

— J'ai eu l'occasion de m'entraîner, mon vieux. *Certains* ne s'éloignent pas régulièrement de la planète et ne partent pas en voyage officiel tout le temps. Il faut que je m'amuse avec ce que j'ai.

La matinée était déjà bien avancée lorsqu'ils arrivèrent à destination. Le spécialiste des trouvailles en tout genre se frotta les mains, et montra à ses amis un point situé un peu plus loin dans les profondeurs de la Cité.

— Là, vous voyez ? demanda Zekk.

Jacen se pencha et repéra un engin de construction complètement rouillé accroché au mur au-dessous d'une saillie du bâtiment. À dix mètres, il était hors de leur portée !

La machine était une vieille structure mécano-soudée. Roulant sur des rails solidaires de l'immeuble, elle servait au nettoyage des façades ou aux réparations, comme appliquer du duramastic pour refaire les joints d'étanchéité. À en juger par l'avancement de sa « décomposition », cette mécanique était grippée depuis au moins un siècle. Ses poutrelles se devinaient à peine sous la végétation composée de mousses et de divers champignons.

Le jeune Jedi écarquilla les yeux pour tenter de comprendre pourquoi son ami s'intéressait à un tel débris, qui ne contenait absolument plus rien de *récupérable*...

Puis il aperçut un fatras de fils de fer et de câbles entrelacés, les interstices étant colmatés par du matériel d'isolation, des bouts d'étoffe et des pièces en plastique.

Cela ressemblait à...

— C'est un nid de faucon-souris, expliqua Zekk. Il y a quatre œufs dedans. Je les vois d'ici, mais je ne peux pas les atteindre tout seul. Si je récupère *un seul* de ces œufs, j'en tirerai un prix qui me permettra de vivre tranquille pendant un mois.

— Et tu veux que *nous* t'aidions ? demanda Jaina.

— Je l'avais espéré, en effet, répondit Zekk. Votre amie Tenel Ka a une corde bien solide, comme j'ai pu l'apprendre à mes dépens ! Et vous devez être bons en escalade, surtout le Wookie.

DTM en bafouilla presque :

— Oh non, Lowbacca ! Vous *ne pouvez pas* descendre là-bas ! Mon Dieu, regardez un peu ! J'interdis formellement pareille folie !

Lowie n'avait pas l'air enthousiasmé par les projets de Zekk. Mais les remontrances « couinées » du droïd traducteur suffirent à le convaincre ; serrant le poing, il grogna son accord.

Tenel Ka accrocha le grappin de sa corde en whuffa à un montant de la passerelle.

— Je suis une excellente grimpeuse, affirma-t-elle. C'est un fait.

— Formidable ! s'exclama Zekk. Je savais que je pouvais compter sur les amis de mes amis !

— Je vais chercher les œufs, proposa Jacen, impatient de toucher les coquilles lisses et tièdes et d'étudier la configuration du nid. J'ai toujours voulu en voir de près.

Même si les faucons-souris étaient légion dans les « canyons » séculaires de Coruscant, en capturer vivants demeurait un exploit.

Après avoir assuré sa corde, Tenel Ka la saisit et commença à descendre vers l'engin mécanique. Jacen avait déjà suivi ses prouesses sur les murs du Grand Temple de Yavin 4. Avec une fascination renouvelée, il regarda sa condisciple reculer le long de la paroi à pic, uniquement tenue par la force de ses bras et de ses jambes musclés.

Jacen admirait la jeune fille de Dathomir. Tout aurait été parfait s'il était parvenu à la faire rire ! Il l'avait gratifiée de toutes les perles de son répertoire d'histoires drôles sans provoquer un début de sourire... Sans doute ses gènes ne véhiculaient-ils pas le sens de l'humour.

Mais le jeune Jedi ne se découragerait pas ! Un jour, son triomphe serait total.

Ayant atteint sa destination, Tenel Ka attacha à une poutrelle la corde indéchirable et fit signe à Jacen de la rejoindre.

L'adolescent s'encorda et suivit sa camarade, essayant d'évoluer avec une compétence et une grâce identiques. Mais il dut s'aider de la Force pour garder son équilibre.

Très vite, Jacen fut à côté de Tenel Ka sur la plate-forme chancelante.

— Du gâteau ! souffla-t-il, se frottant les mains.

— Non merci, je n'ai pas faim, répondit la jeune fille, imperturbable.

Jacen sourit. Tant pis si son amie n'était pas le moins du monde consciente d'avoir fait un bon mot.

Malgré les protestations incessantes de DTM, Lowie descendit sans difficulté.

— Je ne puis regarder, pleurnicha le droïd. Mon Dieu, je crois que je vais désactiver mes senseurs optiques.

Quand tous trois furent réunis sur la plate-forme chancelante, Jacen se pencha pour toucher le nid.

— J'y vais. Je vous passerai les œufs.

Avant qu'une discussion puisse s'engager, l'adolescent avait sauté entre deux poutrelles. Se cramponnant d'une main à une traverse, il avança l'autre vers l'entretoise qui supportait l'étrange nid.

Bruns avec des taches verdâtres, les œufs ressemblaient à des débris de maçonnerie couverts d'un pâle lichen. Ils tenaient dans la main de Jacen ; au toucher, la coquille était dure et rugueuse, comme du roc.

Grâce à la Force, le jeune Jedi sentit la minuscule créature qui se développait à l'intérieur. Peut-être pourrait-il faire léviter le butin jusqu'à ses amis.

Frissonnant d'émerveillement, Jacen souleva l'œuf, qui ne pesait presque rien. Lorsqu'il en toucha un deuxième, des cris perçants retentirent au loin.

— Attention, Jacen ! hurla Tenel Ka.

Le « pilleur de nid » leva les yeux pour apercevoir la silhouette de la mère faucon-souris. Elle approchait à toute vitesse, hurlant de fureur, les serres écartées, les ailes armées de petites pointes.

L'envergure d'un faucon-souris adulte approchait

les deux mètres. Et sa tête comportait un bec en corne muni de dents acérées conçues pour déchiqueter les proies.

— Par mon blaster ! souffla Jacen.

Tandis que Tenel Ka saisissait son couteau à lancer, Lowie aboya un avertissement. Mais Jacen savait que toute aide extérieure arriverait trop tard.

Le rapace fondait sur lui comme un missile ; l'adolescent ferma les yeux pour lui faire face avec l'aide de la Force. Le contact avec les animaux était depuis toujours son don spécifique. Il savait communiquer avec eux ; il comprenait leurs sentiments et leur transmettait les siens.

— Ne t'inquiète pas, murmura-t-il. Je suis désolé que nous ayons l'air d'attaquer ta couvée. *Du calme*. Je viens en paix. Ne t'inquiète pas.

Écartant ses ailes majestueuses, la mère-faucon ralentit et se percha sur une des traverses inférieures. Jacen entendit un crissement quand les serres firent éclater la couche de rouille, mais il garda son calme.

— Nous ne voulons pas faire de mal à tes petits, expliqua-t-il, rassurant. Nous ne les emporterons pas tous. Il m'en faut un seul, et je te promets qu'il grandira en lieu sûr... dans un magnifique zoo où il sera bien nourri et soigné et où il fera l'admiration de millions de gens venus de toute la galaxie.

Approchant le bec, le faucon-souris siffla dangereusement. Son haleine de prédateur manqua faire suffoquer l'apprenti Jedi. La méfiance de l'oiseau faillit prendre le dessus, mais Jacen lui transmit les images d'une belle volière, où le jeune faucon-souris dégusterait toute sa vie des morceaux de choix, et où il vivrait à sa guise, volant en liberté sans devoir craindre les ennemis, la famine... ou les pistolasers des gangs.

Jacen avait extrait cette vision de l'esprit de la mère-faucon : les visages mauvais de jeunes gens lui tirant dessus pendant qu'elle chassait entre les hautes tours.

L'évocation de ce danger l'emporta. La mère recula. Repliant ses ailes, elle autorisa Jacen à accéder au nid.

Il était en sécurité... pour l'instant. Soulagé, le jeune Jedi fit un grand sourire à ses amis.

La dague au poing, Tenel Ka était sur le qui-vive, prête à combattre. Jacen éprouva de la fierté et une étrange sensation de chaleur à l'idée qu'elle l'aurait défendu au prix de sa propre sécurité.

Utilisant la Force, il fit monter l'œuf à la hauteur des quatre adolescents, puis le posa avec précaution entre les mains de Jaina. Après l'avoir accueillie tendrement, sa sœur confia la précieuse prise à Zekk.

— Comment as-tu fait ?

— J'ai conclu un marché avec le faucon-souris, répondit Jacen d'en bas. Allons-nous-en d'ici.

— Et les autres œufs ? demanda Zekk, qui regardait son trésor avec une certaine consternation.

— Tu ne peux en emporter qu'un seul, expliqua Jacen. C'est ça, le marché. Maintenant, on ferait mieux de filer, et vite !

Il grimpa à toute vitesse pour se retrouver à côté de Lowie et de Tenel Ka.

Le Wookie remonta le premier la longueur de

corde de whuffa. Jacen insistait pour qu'ils quittent le vieil engin de construction sans délai.

Quand tous furent rassemblés sur la passerelle, prêts à partir, Zekk demanda :

— Je croyais que tu avais conclu un marché avec la mère. Alors, pourquoi tant de hâte ?

— Ne pose pas de questions. Il vaut mieux être vite hors de vue. Les faucons-souris ont la mémoire courte !

Tenel Ka s'éclaircit la gorge avant de préciser sombrement :

— *Si* nous le ramenons intact.

Jaina s'aperçut qu'ils étaient revenus aux niveaux où toutes les parois portaient les graffitis du gang Génération Perdue.

Les angles de la croix dessinée à l'intérieur du triangle paraissaient plus nets, comme s'ils avaient été fraîchement repeints. Était-il possible que la bande ait marqué son territoire depuis le passage des jeunes Chevaliers Jedi ?

Si la vigilance de ces voyous était à la hauteur de leur réputation, ils avaient peut-être déjà repéré les cinq compagnons.

Et si, dissimulés dans les ombres, ils les épiaient en ce moment même ?

Surveillant les alentours, Tenel Ka tira une dague de sa ceinture. Elle était concentrée, prête à réagir au premier signe de menace. Pourtant, Jaina ne se sentait pas en sécurité. Ses perceptions exacerbées de Jedi l'avertissaient d'un danger imminent.

— Si ce gang, Génération Perdue, est si fort et puissant, pourquoi n'en avons-nous jamais entendu parler ?

Jacen aussi jetait des coups d'œil inquiets autour de lui, sondant les bâtiments envahis par la moisissure.

— Parce que vous ne venez jamais ici, répondit Zekk. Quand on se rencontre, soit vous me faites venir au Palais Impérial, soit on se retrouve dans les niveaux supérieurs. Je parie que vos parents deviendraient fous s'ils savaient ce que nous faisons en ce moment.

# CHAPITRE III

Durant la retraite ordonnée qui les éloigna du [...] de faucon-souris, Jaina marcha près de Zekk. [...] regardait l'adolescent avancer instinctivement [...] travers le labyrinthe de passerelles, de ponts [...] liaison et de passages obscurs. Il semblait sa[...] avec précision quel trajet le ramènerait à [...] pénates.

La satisfaction d'avoir conquis le butin conv[...] s'exprimait par chaque pore de sa peau. Il porta[...] prise avec tout le soin qu'exige... un œuf préci[...]

— Peckhum va être fou de joie ! clama-t-i[...] s'adressant aux jumeaux. Il saura quoi en faire [...] vieux forban connaît tous les gens qui cherc[...] quelque chose. ( Il fit un clin d'œil rassura[...] Jacen. ) Ne t'inquiète pas. Nous trouverons [...] bonne famille à ce bébé, comme tu l'as promis [...] biologiste professionnel n'aura aucun mal à [...] incuber l'œuf jusqu'à ce que le poussin en sor[...]

— Nous sommes capables de nous défendre, dit Tenel Ka, serrant sa dague avec assurance.

— Mon Dieu, bipa DTM sur un ton angoissé, je n'en serais pas si certain à votre place.

Son jeune maître le fit taire d'un grondement.

— Vous voyez enfin comment je vis tous les jours, continua Zekk. Personne n'est là pour me dire de me laver les mains ou me préparer les repas. Et je n'ai pas à me demander comment passer le temps. Chaque journée est consacrée à la recherche de ce qu'il faut pour survivre. Heureusement, j'ai la chance d'être doué pour trouver des trucs.

Jaina fut étonnée de deviner du ressentiment derrière les paroles de leur ami.

— Zekk, si tu as besoin de quelque chose, il suffit de nous en parler. Nous pouvons te trouver un logement, te donner des crédits...

— Qui a dit que c'est ça que je veux ? souffla l'adolescent, les dents serrées. Je n'ai que faire de la charité. Ici, j'ai la *liberté* et j'agis à ma guise. Il est plus satisfaisant de vivre ainsi que d'être tout le temps dorloté et pouponné.

— Monsieur Zekk, s'indigna DTM, vous serez peut-être curieux d'apprendre que certaines personnes ne détestent pas qu'on s'occupe d'elles comme il faut.

Jaina ne daigna pas répondre au mini-droïd traducteur, mais elle se demanda si Zekk pensait réellement ce qu'il disait.

— Ce n'est pas dirigé contre vous, expliqua l'adolescent, le regard tourné vers un emblème de Génération Perdue. Faire partie d'une bande ne me passionne pas non plus. Le chef, Norys, qui a notre âge, est une grosse brute qui aime impressionner les plus faibles. Je me débrouille mieux dans les niveaux inférieurs que n'importe quel membre de son gang, alors ça fait un moment qu'il voudrait m'engager. Il aimerait que je devienne son bras droit, mais je suis trop indépendant pour ça. Je travaille à mon compte.

Ils s'arrêtèrent devant l'entrée d'un bâtiment haut à n'en plus finir, près d'une passerelle couverte qui formait une liaison précaire avec le gratte-ciel d'en face.

Toutes les parois étaient couvertes de symboles menaçants. La plupart des vitres étant brisées, le vent s'engouffrait dans les pièces. Il semblait murmurer un avertissement sans ambiguïté : *partez*.

Zekk regarda derrière lui.

— C'est le quartier général de Génération Perdue. Nous prenons un sacré risque en passant par ici. ( Ses yeux vert émeraude lançaient des éclairs. ) Excitant, non ?

Large et sombre, l'immeuble abritait des salles de réunion vides, des bureaux abandonnés et des locaux techniques devenus inutiles. Dans les archives du Centre d'Information Impérial, restait-il seulement des plans ou d'autres documents concernant ce vieux bâtiment ?

Jaina tenta de rétablir une relation entre cet univers et le monde qu'elle connaissait.

— Je ne crois pas qu'il faille s'inquiéter au sujet de Norys, dit Zekk, élevant la voix. Il parle comme un grand bandit, mais ses ambitions sont celles d'un petit malfrat. Il n'aspire à rien, sinon rester la plus grosse brute de la section désaffectée d'un immeuble situé sur une planète moyenne, dans une très grande galaxie.

Zekk voulait-il lancer un défi au voyou ?

— Il n'ira jamais nulle part parce que ses petits rêves lui collent les pieds au sol.

Avec un *timing* parfait, des panneaux du plafond s'écartèrent, et une douzaine de jeunes gens entraînés sautèrent au milieu des cinq amis. Les traits durs et décidés, ils étaient miteux et sales au possible. Chacun brandissait une arme faite d'éléments tranchants récupérés çà et là.

— Le petit ramasseur d'ordures essaie de s'en prendre à moi ?

Le plus costaud des voyous avait pris la parole. Le visage sombre, les yeux rapprochés, il grinça des dents avant de grimacer un sourire.

— Il n'est pas poli d'écouter les conversations, déclara Zekk.

Le regard du jeune bandit s'arrêta sur l'œuf de faucon-souris que l'adolescent serrait contre sa poitrine.

— Qu'a-t-il trouvé là, le petit ramasseur d'ordures ? demanda Norys. Hé, les gars ! Je crois qu'on va avoir un œuf à la coque au petit déjeuner.

Découvrant ses crocs, Lowbacca poussa un grognement qui fit sursauter les loubards de Génération Perdue. Zekk semblait nerveux, comme si le butin l'avait rendu vulnérable d'une manière inédite.

— Tu veux avoir cet œuf pour quoi faire ? s'enquit Jacen.

— Il le veut simplement parce que *je* le veux ! expliqua Zekk. Il n'en connaît pas la valeur ; sans doute va-t-il l'écrabouiller entre ses grosses pattes.

Tenel Ka tenait une dague dans chaque main. Les jeunes voleurs évaluèrent les forces de leurs adversaires, parvenant vite à la conclusion que Zekk et les jumeaux seraient plus faciles à vaincre que la guerrière ou le Wookie.

— Dans des situations comme celle-ci, dit Zekk en exécutant un mouvement lent, comme pour abandonner l'œuf à un rival trop fort, la meilleure solution est de... *courir* !

Il avait déjà tourné les talons et fonçait le long du passage branlant. Les secousses provoquées par sa course firent se détacher un panneau de mur, qui alla s'écraser dans des profondeurs insondables.

Réagissant au quart de tour, les jeunes Jedi s'élancèrent derrière leur ami.

Leurs agresseurs ne furent pas en reste. Frappant les parois avec leurs armes primitives, ils poursuivirent les fuyards.

Arrivé au milieu du pont, Zekk s'arrêta net : une jeune femme agressive, plus implacable encore que Tenel Ka, était sortie de l'autre immeuble et lui bloquait le passage.

— Nous sommes coincés, fit Jaina, découragée.

Leur situation n'avait rien d'enviable.

Debout au milieu du pont chancelant, Zekk étudia les options qui s'offraient à eux. Le vent s'engouffrait par les fenêtres brisées des bâtiments, produisant un sifflement sinistre.

— Pour que tout le monde ait sa chance, déclara Zekk, je vous soumets à tous ce problème. Vous avez des suggestions ?

Jaina essayait de se souvenir d'une astuce apprise

chez oncle Luke qui pourrait leur être utile. Parfaitement concentrée sur la Force, elle était capable de manipuler des objets, mais elle ne voyait pas comment ses pouvoirs encore incertains les sortiraient de ce piège.

Bombant le torse, Norys avança.

— Maintenant, donne-moi cet œuf, ramasseur d'ordures ! Alors, nous consentirons peut-être à ne pas vous jeter dans le vide.

Que faire ?

À cet instant, un cri strident brisa le silence — un cri de prédateur à vous glacer les sangs.

Une ombre obscurcit le « ciel » à l'aplomb du lieu de l'affrontement.

Poussant un autre hurlement, la mère faucon-souris fondit vers le pont. Sous son bec pointu, les restes de grillage de la toiture menaçaient de céder. Pour tenter d'atteindre Norys, l'oiseau, sifflant et hurlant de fureur, agrandit un trou déjà béant.

Effrayé par l'attaque-surprise, le chef de la bande recula.

Zekk serrait à nouveau son butin contre lui.

Profitant de la diversion créée par le faucon-souris, Lowie courut vers la femme seule qui obstruait la sortie du passage.

— Oh, mon Dieu, couina DTM. J'espère que personne ne voit d'inconvénient à ce que je désactive mes senseurs optiques en ces circonstances ?

Déroutée par l'oiseau en furie et la boule de fourrure orangée fonçant sur elle avec force grondements, la jeune combattante de Génération Perdue qui coupait la retraite aux cinq amis dégagea le terrain sans combattre.

— On attend quoi, le dégel ? cria Jaina en s'élançant.

Plié en deux pour protéger l'œuf de faucon-souris, Zekk courut derrière elle. Jacen les suivit, tandis que Tenel Ka se retournait pour rappeler aux autres membres du gang la menace bien réelle de ses dagues.

Formant l'arrière-garde, elle sprinta ensuite sans difficulté.

Ravie par le spectacle de cette évasion réussie, la mère faucon-souris poussa un dernier cri, puis s'envola, satisfaite.

Avant que les cinq amis soient hors de portée de voix, Norys lança quand même un avertissement :

— On t'aura la prochaine fois, ramasseur d'ordures ! Tu m'entends ? Tu feras partie de ma bande, de gré ou de force !

Zekk ne daigna pas répliquer, car il était trop occupé à guider ses compagnons à travers le dédale de cages d'escaliers, de passages inclinés et d'ascenseurs qui les ramenait vers des niveaux plus proches de la lumière du jour et plus rassurants.

Haletant, il autorisa finalement une pause.

Le visage du jeune aventurier exprimait sans détour son soulagement et sa fierté.

— Je croyais que les faucons-souris avaient la mémoire courte, dit-il, reprenant son souffle.

Jacen haussa les épaules, l'air penaud.

— N'es-tu pas content que je me sois trompé ?

— Et comment ! approuva sa sœur. Nous sommes tous contents !

— En route ! ordonna Zekk. Rapportons cet œuf à la maison.

# CHAPITRE IV

Affamés après tant d'aventures, les quatre jeunes Jedi suivirent Zekk chez lui.

Une grande partie de la population de Coruscant ayant quitté la planète-capitale pendant la guerre entre l'Empire et l'Alliance, les étages moyens des gratte-ciel abritaient beaucoup d'appartements abandonnés mais utilisables. Souvent, ils étaient occupés par des « squatters » qui arrivaient ainsi à survivre sans sombrer dans l'existence sordide et misérable qui attendait les habitants des étages inférieurs.

Depuis des années, Zekk partageait ses quartiers avec le vieux Peckhum, qui n'avait pas de profession précise, mais gagnait sa vie en accomplissant différentes besognes. À titre d'exemple, il transportait des marchandises dans son antique vaisseau, le *Bâton de Foudre*, et exécutait toutes sortes de travaux pour la Nouvelle République.

Zekk et Peckhum s'entendaient à merveille. Comme les membres d'une famille, ils s'entraidaient et se soutenaient. Dans leur logement commun, ils appréciaient de se tenir compagnie.

Pour arriver jusqu'à l'appartement de Zekk, il leur fallut traverser moult couloirs sans éclairage. À l'entrée, Peckhum avait depuis peu installé un terminal de messagerie permettant aux visiteurs de laisser un mot si personne n'était à la maison.

Jaina examina l'équipement avec intérêt.

— On va pouvoir se reposer un moment, dit Zekk.

Pendant qu'il composait le code d'accès, il avait niché l'œuf de faucon-souris dans le creux de son bras.

La porte métallique s'ouvrit sur la réserve d'un véritable marché aux puces : des objets récupérés à droite et à gauche couvraient les murs, des vieilleries en cours de restauration jonchaient le sol ; le tout était saupoudré d'innombrables gadgets dont l'utilité initiale était tombée dans l'oubli depuis des lustres.

Insouciant, un petit oiseau au plumage smaragdin volait au milieu de ce bric-à-brac. Jaina se demanda s'il était entré par hasard ou s'il faisait partie de la maisonnée. Peut-être était-il venu chercher du « matériel » pour son nid ?

Un vieil homme grisonnant se leva d'une table branlante où il travaillait sur un bloc-notes électronique démodé qui affichait des rangées de chiffres mystérieux. Sur son visage mal rasé se dessina un sourire de bienvenue.

— Te revoilà, Zekk. Et tu as amené des copains. Bonjour, jeunes amis Jedi !

Le deuxième « locataire » des lieux verrouilla la porte. Dès qu'il eut salué le vieil homme, Jacen essaya d'attraper l'oiseau vert. Toujours méfiante et redoutant un piège, Tenel Ka examina avec attention les caisses et les objets. Lowie farfouilla dans un amas d'équipements électroniques qui avait titillé son intérêt au premier coup d'œil.

Quand il présenta à son ami l'œuf de faucon-souris, Zekk rayonnait de satisfaction.

— Regarde ce que j'ai trouvé ! Combien pourrons-nous en tirer, d'après toi ?

Peckhum partageait l'enthousiasme de son jeune compagnon. Il tendit la main et prit délicatement l'œuf entre ses doigts parcheminés.

— Plus de cent crédits, mon gars. Beaucoup de zoos et d'instituts de recherches rêvent d'un spécimen comme celui-là.

Jacen s'assombrit.

— Peut-être, mais je ne veux pas qu'il se retrouve n'importe où. J'ai promis à sa mère qu'on s'occuperait bien de lui.

Peckhum éclata de rire.

— Sacrés Chevaliers Jedi ! Je ne vous comprendrai jamais ! Ne t'en fais pas, fiston, ton protégé sera bien traité... Tout bien réfléchi, je crois que j'en parlerai à ta mère. J'ai entendu dire que la présidente Organa cherchait des spécimens...

Jacen n'en crut pas ses oreilles.

— Ma mère cherche des animaux rares ? Elle aurait pu m'en parler...

Peckhum haussa les épaules.

— Je ne lui ai pas demandé ce qu'elle veut en faire. C'est peut-être pour offrir à un émissaire étranger... Après un séjour dans l'incubateur idoine, je suis sûr que cet œuf fera l'affaire.

Pendant que Zekk préparait une collation, Jaina s'installa sur une pile de couvertures recyclées que Peckhum comptait sans doute brader à un marchand non humain pas trop futé.

— La dernière fois que nous vous avons vu, Peckhum, dit-elle, vous n'en meniez pas large, sur Yavin 4, face au monstre à six pattes sorti de la jungle.

Le vieil homme ricana nerveusement.

— Je n'avais plus eu peur comme ça depuis des lustres ! Espérons que votre fichue planète s'est un peu civilisée...

— Vous comptez y retourner bientôt pour une livraison ?

— Non, j'ai un contrat pour m'occuper des miroirs qui orbitent autour de Coruscant. C'est un boulot de solitaire, mais la paie est bonne. Et puis, il faut bien que quelqu'un le fasse. Ça me repose un peu... J'aime mieux voir le bon côté des choses !

Toute la surface de Coruscant étant occupée par des gratte-ciel, il avait fallu trouver un moyen de rendre habitables les régions situées près des pôles. Les ingénieurs avaient conçu de grands miroirs capables de refléter la lumière du soleil vers le sud et le nord de la planète. Grâce à ce système, ces zones inhospitalières pouvaient accueillir des millions de personnes.

Jaina imaginait les difficultés techniques liées à

l'exploitation automatisée de ces immenses miroirs. Les équipements devaient être très précis pour que les rayons de soleil atteignent toujours les endroits visés. Dans le cas contraire, les catastrophes étaient inévitables.

Ce travail rappelait celui des gardiens de phare qui vivaient seuls au milieu de l'océan, prêts à affronter des urgences qui survenaient rarement.

— Un emploi aussi solitaire favorise la méditation, souligna Tenel Ka.

— C'est exact, petite, répliqua Peckhum. J'aimerais seulement que les conditions soient un peu moins... élémentaires.

— Pourquoi la station d'exploitation des réflecteurs est-elle si inconfortable ? demanda Jacen. N'avez-vous pas de systèmes de jeu et de synthétiseurs de nourriture là-haut ?

— Suivant les plans originaux, si, répondit Peckhum. Mais ils sont tombés en rade les uns après les autres. Les miroirs ont été mis en place il y a très longtemps, avant que l'Empereur s'empare du pouvoir. Durant les années de son règne, les insoumis et les déserteurs étaient affectés à ces postes de travail en orbite. C'était leur punition.

« Rien n'a été entretenu, car ce boulot ne *devait pas* être une partie de plaisir. Maintenant, les systèmes de jeu, de régulation de la température et même les communications tombent en panne à tout bout de champ. Aucun technicien n'est volontaire pour procéder là-haut à une opération de maintenance de grande envergure. Les soucis de la Nouvelle République sont si nombreux que la mauvaise réception des holovidéo sur les stations de conduite des réflecteurs n'est pas inscrite en tête de la liste des priorités.

Jaina avait écouté la description des incidents avec grand intérêt.

— Vous évoquez des symptômes classiques, dit-elle. Il vous faut un nouveau processeur central de gestion des tâches. Ça remédierait à tous les défauts à la fois.

Après avoir éteint son bloc-notes électronique, Peckhum le fourra dans une pochette accrochée à sa chaise.

— Je le sais bien ! Mais ces processeurs coûtent cher et ils sont difficiles à trouver. J'ai déjà rempli cinq formulaires pour demander un nouveau système, et j'ai essuyé un refus à chaque fois. Les ressources de la Nouvelle République sont affectées en fonction des besoins les plus importants. ( Le gardien de phare orbital parlait comme s'il citait un rapport officiel. ) Mes besoins ne sont pas assez importants, voilà tout.

« Enfin, je survivrai. Le mois dernier, je me suis payé une holoconsole portable avec mes propres crédits. Elle fera l'affaire.

Les bras chargés de rations à auto-réchauffage, Zekk sortit de la cuisine.

— Je sais où nous pouvons nous procurer un processeur multitâche !

Pour maintenir en place la pile, il coinçait la boîte du haut de la pointe de son menton. Cela rendait son élocution moins nette qu'à l'accoutumé...

— Vous vous souvenez de la navette que nous avons découverte ? Ces modèles étaient équipés d'une multitude de sous-systèmes. Il y avait forcément un processeur central.

— Sans aucun doute ! lança Jaina avec une grande conviction. Ces transporteurs possédaient des gestionnaires multitâches, encombrants et lents, mais fonctionnels.

Touché par la sollicitude des gamins, Peckhum doucha néanmoins leur enthousiasme :

— Je pars dès demain matin, vous savez. Même si vous me procurez un tel système, je ne suis pas certain de savoir l'installer.

— Ne t'en fais pas, vieux frère, intervint Zekk. Je te le garderai bien au chaud pour ton retour, c'est promis.

Jaina saisit au vol l'occasion d'exercer ses talents de technicienne.

— La prochaine fois que vous irez en orbite, nous pourrons venir avec vous et vous aider à connecter le processeur.

Lowbacca ulula son accord ; il participerait à l'expédition.

Ces projets remontèrent le moral de Peckhum.

— En effet, ça pourrait marcher. Fêtons en dînant la future amélioration de mon sort !

Le vieil homme débarrassa une table basse de tout un fatras en mal de tri sérieux, et Zekk y posa la pile de boîtes. Après avoir examiné les étiquettes, l'adolescent tendit des rations à chacun des convives.

Produite par les réchauffeurs incorporés, de la vapeur chaude s'échappa des couvercles ouverts. Prudente, Jaina la renifla tandis que Jacen enfonçait sa cuiller dans une bouillie indéfinissable. Tenel Ka, toujours sérieuse, étudia le texte de l'étiquette.

Lowbacca émit un son qui pouvait être interprété comme un commentaire dubitatif sur la qualité de la nourriture.

— Vous n'avez aucune raison de vous plaindre, maître Lowbacca, dit DTM. Je suis sûr qu'il s'agit d'une substance hautement nutritive. Regardez ! L'étiquette porte le sceau officiel de l'Empire.

— Ce sont des rations destinées aux commandos, expliqua Zekk. Nous en avons trouvé un stock important dans les étages inférieurs de l'immeuble. Ce n'est pas de la haute gastronomie, mais elles contiennent tous les ingrédients indispensables à l'organisme.

Convaincue, Tenel Ka avala une bouchée.

— Tout à fait acceptable, déclara-t-elle.

Jaina remua la pâte grisâtre, sourit de voir Zekk s'y attaquer franchement, puis elle en mâchouilla un petit bout. Le goût n'était pas mauvais ; en réalité, ça n'avait *aucun* goût. Bien élevée, la jeune fille finit ce qui lui avait été proposé.

Ayant vidé sa boîte, elle se leva. Son regard croisa celui de Zekk.

— Tu veux venir manger chez nous, la prochaine fois ?

— Excellente suggestion ! ( L'adolescent s'épanouit à cette idée. ) Quand ?

Se mordillant la lèvre inférieure, Jaina réfléchit à la question.

— Puisque Peckhum te laisse seul, pourquoi pas demain soir ? Dans la journée, nous avons prévu une excursion avec nos parents, mais le soir, un banquet sera organisé au Palais Impérial. Ces dîners officiels sont toujours d'un ennui mortel ; un peu de compagnie nous fera plaisir. Je suis sûre que nous t'obtiendrons une invitation.

— Tu crois vraiment ?

— Oh oui !

— Je le pense aussi, dit Jacen. Z-6P0 passera un moment *divin* à s'occuper de nous.

## · CHAPITRE V

De gros flocons de neige virevoltaient pour composer un ballet en « blanc sur blanc ».

Les paysages givrés de la calotte polaire septentrionale de Coruscant s'étendaient à perte de vue. Quand Jaina expirait, de petits nuages gelés volaient devant sa bouche. À chaque inspiration, l'air froid lui piquait le nez et la gorge. C'était délicieux : un environnement fait de fraîcheur, de pureté, de calme...

Hélas, le tauntaun que la jeune fille chevauchait sentait mauvais. La créature aurait dû être apprivoisée, mais on avait l'impression que le propriétaire de l'écurie polaire ne passait guère plus de temps à entraîner les animaux arctiques qu'à les baigner.

Les tauntauns étaient des reptiles à la fourrure blanche qui portaient sur le front des cornes recourbées. Ils se déplaçaient sur des pattes arrière à la musculature puissante qui leur permettaient d'atteindre une grande vitesse sur la neige.

Ces bêtes venaient du monde glaciaire de Hoth où l'Alliance Rebelle avait jadis une base secrète. Quelque temps plus tôt, un entrepreneur avait eu l'idée d'importer des spécimens dans les régions polaires de Coruscant. Les amateurs de sports d'hiver disposaient ainsi d'une distraction supplémentaire.

Mais chevaucher un tauntaun se révélait un exercice aléatoire, car les animaux déracinés étaient devenus récalcitrants. Jaina ne voyait rien d'amusant à une randonnée aussi mouvementée...

Malgré les ruades de sa monture, qui se débattait contre le mors, Jaina essayait de rester à la hauteur de Jacen. Anakin recherchait plutôt la compagnie de leur père, qui suivait un peu plus loin avec Leia.

Yan Solo avait prétendu haut et fort être un expert des tauntauns rétifs. Le voyant accroché au cou de sa monture dans une attitude peu élégante, Jaina gloussa. Lui aussi avait toutes les difficultés du monde à ne pas glisser du dos de l'animal lancé à vive allure sur la neige givrée.

Aux yeux de Jaina, ces péripéties étaient d'une importance mineure, eu égard à la joie de se détendre pendant quelques heures loin de la Cité. Les occasions où ils pouvaient s'adonner aux plaisirs simples de la vie de famille étaient comptées...

Lowie passait également la journée avec son oncle Chewbacca. Pas de soucis non plus à avoir pour Tenel Ka qui visitait, guidée par Z-6P0, les parcours d'obstacles et les centres d'entraînement les plus cotés de Coruscant.

Il fallait profiter des rares moments de loisirs, car les apprentis Jedi retrouveraient bientôt l'Académie et leurs études, Leia et Yan se replongeant dans leurs responsabilités de dignitaires de la Nouvelle République...

Pour l'instant, ils étaient *tous* en vacances !

— J'arrive le premier au pied de cette colline, là-bas ! cria Jacen, penché sur son tauntaun.

Quand avait-on vu Jaina ne pas relever un défi lancé par son frère ?

— Qu'attendons-nous pour démarrer ?

S'accrochant de son mieux, Jaina talonna sa monture.

Hélas, à l'instant où Jacen donnait le signal de départ de la course, son tauntaun se planta là, immobile, et refusa de faire un pas de plus.

En revanche, la bête de Jaina fonça à toute vitesse. Mais la jeune fille ne goûta pas vraiment cette victoire, car elle éprouvait autant de difficulté à arrêter son tauntaun que Jacen à faire avancer le sien...

Une fois de plus, les jumeaux étaient à égalité.

— Encore un peu de soupe ? demanda Leia, assise dans la neige près d'un gros thermos.

— Je suis incapable d'avaler une bouchée de plus, répondit Jaina en secouant la tête.

— J'en reprendrais bien un peu, demanda Jacen.

— Moi aussi, le soutint Anakin.

— Ça nous fait trois Solo mâles affamés, surenchérit Yan, tendant son assiette en direction de Leia. Je n'ai jamais pu résister à un pique-nique préparé par toi.

— C'est sûr, personne n'a ma façon d'appuyer sur les boutons du synthétiseur de nourriture, ironisa son épouse.

Jaina jubilait. Quel plaisir d'être entourée de sa famille, d'entendre les voix qui avaient bercé son enfance !

Après l'aventure des tauntauns, ils avaient fait du turbo-ski, lancé des boules de neige et construit des châteaux de glace.

À présent, ils se reposaient sur des coussins en isomousse qui les réchauffaient en récupérant leur chaleur corporelle. Jaina écarta les bras pour « cueillir » des flocons sur ses mains gantées.

— Si seulement nous étions plus souvent ensemble, dit-elle.

— Peut-être devrions-nous essayer, répondit Leia.

Anakin avala sa dernière gorgée de soupe.

— Je viendrai bientôt à l'Académie Jedi. Nous mangerons tous les jours à la même table !

— Ça me rappelle quelque chose, les enfants ! N'oubliez pas que j'organise ce soir un important banquet pour la nouvelle ambassadrice de Karnak Alpha.

— Où est Karnak Alpha ? demanda Jacen. Je n'en ai jamais entendu parler.

— Derrière la Confédération de Hapès, à proximité des Mondes du Noyau.

— Reste-t-il des nids de résistance des impériaux dans le Système du Noyau ? demanda Jaina.

— Bien sûr, qu'il y en a, intervint Yan Solo. C'est pourquoi votre mère attache autant d'importance à ce dîner. Il faudra vous souvenir de vos bonnes manières !

Jacen soupira.

— Si c'est vraiment important, comment se fait-il que nous soyons invités ?

— Je voudrais vous faire connaître l'ambassadrice, expliqua Leia avec un sourire chaleureux. Les enfants jouent un rôle essentiel dans la société de Karnak Alpha. Ils sont considérés comme une richesse qui augmente jour après jour. Dans la société karnakienne, le rang social dépend du nombre d'enfants qu'on a. Plus la famille est nombreuse, plus elle est honorée. Leur gouvernement a même instauré un Conseil d'Enfants.

— Par mon blaster ! s'écria Jacen. J'ai failli oublier. Nous avons invité Zekk à dîner avec nous ce soir.

— Pourra-t-il assister au banquet ? s'enquit Jaina.

La présidente parut troublée, un état qui ne lui était pas coutumier.

— Zekk ? Votre ami ? Celui qui a grandi dans la rue ?

— Maman, ne dis-tu pas toujours que chaque personne a de la valeur, quelles que soient ses origines et ses conditions de vie ?

Sur la défensive, Jaina venait pourtant de trouver un argument difficile à réfuter.

— Si..., répliqua Leia, hésitante.

— S'il te plaît, maman ! Si tu es d'accord, je te laisserai tresser mes cheveux !

Pareille offre devait toucher le cœur d'une mère ! À la recherche d'un soutien, Jaina dévisagea ses deux frères. Anakin contemplait l'horizon avec l'expression qu'il arborait chaque fois qu'il était sur le point de résoudre un problème.

— S'ils attachent autant d'importance aux enfants, l'ambassadrice sera sans doute heureuse qu'un enfant de plus se joigne à nous pour le banquet, non ?

— Mais tu as raison ! ( Le visage de Leia s'éclaira. ) Votre ami Zekk est *plus* que bienvenu. Et nous inviterons également Lowie et Tenel Ka.

Soulagée, Jaina rit aux éclats.

— C'est génial ! Nous le leur dirons dès notre retour au Palais.

Ayant terminé sa soupe, Jacen se renseigna :

— Devons-nous partir de suite ?

Yan Solo consulta son chronomètre.

— Nous avons encore une heure ou deux devant nous.

— Dans ce cas, annonça son fils, je vous défie d'arriver avant moi à cette grotte, là-bas !

Tous éclatèrent de rire. Puis ils bondirent vers leurs turbo-skis.

# ·CHAPITRE VI

À l'heure convenue, Zekk arriva devant les portes du Palais Impérial. Après avoir vérifié que son nom figurait sur la liste des invités, les gardes de la Nouvelle République le firent entrer dans le Grand Hall, très impressionnant avec sa voûte richement décorée.

Alors que l'adolescent connaissait le chemin des appartements de ses copains, les soldats insistèrent pour l'escorter dans les couloirs aux élégantes tapisseries.

C'était plutôt intimidant...

Ses habits neufs mettaient Zekk mal à l'aise, car ils le serraient de partout. Mais ce dîner avait une grande importance, et il s'était juré de n'embarrasser personne. À aucun prix il n'aurait voulu décevoir ses plus chers amis.

Avant de partir pour son poste solitaire, Peckhum

l'avait aidé à sélectionner quelques vêtements appropriés. Sacrifiant plusieurs de ses précieux trésors *récupérés*, le jeune aventurier avait acheté une veste vraiment chic.

Dans ces atours élégants, il ne ferait pas honte aux jumeaux. Regagnant confiance, Zekk traversa d'un pas décidé les innombrables galeries qui le séparaient de la demeure de la présidente.

Dans tous ses états, le droïd de protocole doré l'y accueillit et renvoya les soldats.

— Vous voilà enfin, jeune maître Zekk ! Vous êtes en retard, nous devons nous dépêcher de vous préparer.

Zekk tira sur son costume inconfortable, mais convenable.

— Que veux-tu dire par « préparer » ? Je suis prêt, habillé, coiffé... que te faut-il de plus ?

Touchant du bout du doigt la chemise de l'apprenti dandy, Z-6P0 émit un sifflement désapprobateur.

— Mon Dieu ! En effet, ces vêtements sont présentables et même... *intéressants*. Selon mes fichiers, ils correspondaient au dernier cri il y a quelques décennies. Une trouvaille historique, en quelque sorte.

Zekk ne put pas refouler sa déception. Il s'était donné tellement de peine pour être digne de l'occasion...

En quelques secondes, un droïd maniaque avait réduit en cendres tous ses efforts.

Sortant à la hâte de sa chambre, Leia Organa Solo écarquilla les yeux en apercevant le nouvel arrivant.

— Bonjour, Zekk ! ( Sa formation de diplomate

lui permit de dominer sa surprise en un rien de temps. ) Je suis heureuse que tu aies pu venir.

Malgré cet accueil chaleureux, l'adolescent se sentait mis à nu par le regard de la légende vivante de la Rébellion. Comment, dans ces conditions, ne pas rougir de la tête aux pieds ?

D'un coup de baguette magique, ses magnifiques vêtements tout neufs étaient devenus un costume de clown...

— J'espère ne pas vous causer trop d'embarras, balbutia Zekk. Je ne sais pas pourquoi Jaina et Jacen m'ont demandé de venir...

— Ne te fais pas de soucis, répondit Leia sur un ton rassurant. L'ambassadrice de Karnak Alpha amène toute sa progéniture. Il y aura du monde ! Détends-toi et fais au mieux.

Un kit de coiffeur dans les mains, 6P0 revint s'occuper de l'invité.

— D'abord, nous allons vous peigner, jeune maître Zekk. Tous les participants doivent être convenablement préparés. Il s'agit d'un grand événement pour la Nouvelle République, dont la réputation est en cause.

« Je suis désespéré de n'avoir pas pu retrouver mes vieux fichiers sur les coutumes de Karnak Alpha. Mes concepteurs semblent avoir oublié de les intégrer dans mes sous-programmes protocolaires. ( La tignasse noire de Zekk résistait avec succès aux efforts du droïd doré. ) Mon Dieu, vous auriez bien besoin d'une coupe. Je me demande si nous avons le temps...

Jaina et Jacen saluèrent leur copain, qui supportait

avec un grand stoïcisme les soins de toilette dispensés par Z-6P0.

Le visage encore rose au sortir du bain, Jacen était si bien coiffé que Zekk ne l'aurait peut-être pas reconnu dans la rue.

— Bonjour, Zekk ! s'écria Jaina, ravie.

Avisant son accoutrement, la jeune fille retint avec peine un grand éclat de rire.

De plus en plus mal à l'aise, Zekk tenta de se soustraire aux attentions de son esthéticien mécanique. Z-6P0 ne se laissa pas distraire :

— Vous savez, je suis un droïd de protocole, parfaitement formé à toutes les techniques de... *toilettage*.

— Salut, les jumeaux ! À la réflexion, je crois que votre idée de m'inviter à ce dîner n'est pas si bonne. Je ne connais rien en matière d'étiquette et de diplomates.

— Aucune importance ! dit Jaina. Comporte-toi avec bon sens et naturel, et regarde ce que nous faisons. C'est un grand banquet, avec toutes sortes de cérémonies ennuyeuses, mais les plats sont excellents. Tu vas te régaler !

Pour Jaina, les choses étaient faciles ; élevée dans les hautes sphères de la politique, elle connaissait tous les pièges depuis sa plus tendre enfance. C'était son monde !

Mais Zekk n'avait reçu aucune instruction en la matière. Persuadé que ce dîner serait une catastrophe, il aurait voulu disparaître dans un trou de souris. Dès à présent, le désastre était si total que même Z-6P0 finit par abandonner.

— La tâche est au-delà de mes capacités ! Mon Dieu, j'ai un mauvais pressentiment...

Ce n'était pas Zekk qui allait le contredire...

Tenel Ka formait l'arrière-garde du groupe en route vers la grande salle. Consciente de l'importance de son rôle social, elle s'était préparée avec soin.

Durant ses jeunes années, passées à la cour de Hapès, sa grand-mère, sévère et pointilleuse, avait surveillé son éducation. Après tout, princesse et héritière du trône d'une grande confédération, Tenel Ka devait savoir se tenir dans toutes les circonstances.

Plus attirée par la planète natale de sa mère, la jeune fille avait fui les fastes royaux et les faux-semblants diplomatiques pour se tourner vers les rudes traditions de Dathomir. S'initiant aux techniques des guerrières dès qu'elle avait un moment, elle avait décidé de développer ses pouvoirs Jedi.

L'ancienne matriarche de Hapès désapprouvait ce choix, mais Tenel Ka ne s'était pas laissé détourner de sa voie. Fille de deux « fortes têtes », Tenel Ka faisait preuve d'obstination dans tous les domaines...

Pour l'occasion, elle portait une courte tunique en peaux de reptiles multicolore qui brillait à chacun de ses mouvements. Ses bras et ses jambes musclés étaient nus, mais elle avait jeté une belle cape vert sapin sur ses épaules.

Avant de venir recevoir l'enseignement de Luke Skywalker sur Yavin 4, Tenel Ka avait vécu dans l'ambiance austère des cités du Clan de la Montagne Qui Chante, sur Dathomir. Elle n'avait plus été entourée de tout ce luxe depuis longtemps, et c'était bien ainsi. Mais le banquet organisé en l'honneur de l'ambassadrice karnakienne serait un autre défi à relever.

Lowbacca avait été shampouiné, séché et peigné avec soin. Ainsi apprêté, il paraissait plus maigre et moins impressionnant. La mèche noire, au-dessus de son sourcil gauche, était plaquée sur son crâne ; quelle élégance... pour un Wookie !

À la tête du petit groupe, Z-6P0 précédait Leia et Yan. À leur arrivée, les gardes de la Nouvelle République ouvrirent les portes de la salle.

Majestueuse dans sa longue robe blanche, la présidente fit son entrée au bras de son époux. De petite taille, elle avait une aura d'énergie et de confiance qui ne laissait personne indifférent. Tenel Ka admirait la puissance de sa personnalité.

La synchronisation fut parfaite : au même moment, de l'autre côté de la salle, l'ambassadrice de Karnak Alpha avança. Gambadant, ses huit enfants la suivaient.

La porte-parole de Karnak Alpha ressemblait à une boule surmontée de cheveux sombres qui ruisselaient en longues tresses jusqu'au sol. Tout son corps était dissimulé sous cette masse, et on ne voyait même pas ses yeux.

Elle s'assit au bout de la table, à côté du siège réservé à la présidente.

Leia prit place avec Yan.

Les huit enfants de l'ambassadrice, des miniatures coulées dans le même moule, s'installèrent ensuite.

Les chevelures des filles étaient semées de rubans de toutes les couleurs ; les garçons se reconnaissaient aux clochettes accrochées dans leurs mèches.

Coiffés avec soin, tous faisaient montre d'une éducation parfaite.

Tenel Ka se félicitait d'avoir pensé à décorer de plumes ses tresses rousses. À la cour royale de Hapès, elle avait rencontré des indigènes de Karnak Alpha. Ces créatures chevelues et réservées avaient quelques coutumes étonnantes. Mais en général, on s'arrangeait avec elles sans difficultés.

Jaina et Jacen s'assirent les derniers. Ils prirent entre eux leur ami Zekk.

S'agitant autour des jeunes gens et ré-arrangeant quelques articles de table, Z-6P0 paradait d'importance. Après tout, un droïd de protocole était programmé pour ce type de missions. Pas pour l'aventure et les actes de bravoure, mais pour remplir des fonctions diplomatiques complexes.

Devant chaque convive était posé un vase en cristal contenant un bouquet de tiges vertes et de fleurs exotiques à la délicate senteur cueillies dans les célèbres jardins botaniques de Coruscant.

Avant que le repas commence, Leia Organa Solo fit un petit discours, préparé avec grand soin, pour souhaiter la bienvenue à l'ambassadrice. Quand elle eut exprimé son désir de voir les relations entre les deux mondes évoluer vers une étroite coopération fondée sur le respect mutuel et des échanges culturels et commerciaux, elle adressa un signe de tête à 6P0.

Le droïd s'éclipsa et revint presque aussitôt avec

un paquet : un incubateur transparent, où reposait un petit objet ovoïde.

— C'est notre œuf de faucon-souris, souffla Jacen, incapable de se retenir.

Sa mère sourit.

— Oui. J'espère, madame l'ambassadrice, que vous apprécierez davantage ce présent en sachant qu'il a été découvert par les enfants qui vous tiennent compagnie ce soir.

Émue, la Karnakienne accepta l'œuf. Expression de sa joie, sa masse de cheveux crépita d'électricité.

— Madame l'ambassadrice, votre culture ne nous est pas encore familière. Mais nous savons que vous aimez les spécimens zoologiques rares. Nous avons entendu parler de vos splendides dioramas holographiques, et des grands zoos où l'environnement naturel des animaux est si bien recréé qu'ils ne s'aperçoivent pas qu'ils sont tenus en cage. En gage d'amitié pour vous et pour votre peuple, nous sommes heureux de vous offrir un œuf de faucon-souris. Ce grand oiseau compte parmi les espèces les plus difficiles à piéger ; très peu de faucons-souris vivent en captivité.

Enchantée, l'ambassadrice de Karnak Alpha remercia ses hôtes :

— Je suis touchée de votre attention, et mon peuple saura apprécier le cadeau que vous lui faites. Il s'inscrira tout en haut de la liste de nos trésors !

— Mais vous devrez veiller sur lui ! intervint Jacen. J'ai promis à la mère que le petit sera bien soigné.

L'ambassadrice ne s'offusqua pas de cette interjection, qui eût fait dresser les cheveux de Z-6P0 sur sa tête, s'il en avait eu.

— Je te donne ma parole d'honneur, promit l'ambassadrice.

Ensuite, elle fit une allocution en réponse au discours de Leia — en gros la version karnakienne des sentiments exprimés par la présidente de la Nouvelle République. Là où une bouche devait se cacher derrière les tresses, on pouvait suivre de légers mouvements...

Pendant ce temps, les petits monticules de cheveux sombres attendaient plus ou moins patiemment. Les estomacs des jeunes Chevaliers Jedi et de leur ami commencèrent à gargouiller.

Assis à côté de son épouse, Yan Solo s'efforçait de ne pas trop remuer sur sa chaise et de ne pas ouvrir le col de son habit de cérémonie. Les médailles accrochées à sa poitrine carillonnaient au moindre mouvement...

Tenel Ka avait de la compassion pour lui.

Puis Z-6P0 entra dans la salle, accompagné d'un droïd sur roulettes qui portait un plateau d'argent chargé de mets exotiques arrangés avec art. Tout le monde saliva en voyant ces délices.

Obéissant à l'étiquette diplomatique, le droïd doré se dirigea vers la tête de la table où Leia et l'ambassadrice karnakienne attendaient, impatientes de goûter aux merveilles concoctées dans les cuisines du Palais.

Tenel Ka regarda Z-6P0, qui était arrivé aux côtés de l'ambassadrice. Le droïd choisit une des grandes assiettes empilées sur le présentoir du serviteur roulant.

En toute logique, il allait la présenter à l'invitée d'honneur. Selon les coutumes karnakiennes, une telle initiative aurait été jugée terriblement grossière !

Rapide et élégante, Tenel Ka se leva et appela le droïd :

— Excuse-moi, Z-6P0, si tu veux me permettre...

Laissant « Bâton d'Or » ( dixit Yan Solo ) bouche bée et incapable de réagir, la jeune fille se précipita à l'autre bout de la table. Une à une, elle prit les assiettes et les distribua aux enfants de l'ambassadrice en commençant par le plus petit, qui devait être aussi le plus jeune.

Surprise, Leia suivit la procédure sans intervenir. La camarade de ses enfants devait avoir ses raisons...

L'ambassadrice fit un mouvement susceptible de passer pour une inclinaison de tête.

— Oh, merci beaucoup, jeune demoiselle. Vous nous faites un grand honneur. Quelle connaissance de nos traditions !

Quand elle eut fini de servir les petites boules chevelues, Tenel Ka alla jusqu'à la chaise d'Anakin. Après lui avoir murmuré quelque chose à l'oreille, elle lui tendit une assiette.

Sans hésiter, le jeune garçon se leva et alla déposer le plat sélectionné devant l'ambassadrice.

La dignitaire karnakienne en frissonna d'aise et de surprise.

— Je suis très honorée, madame la présidente, que vous ayez choisi votre plus jeune fils pour m'assister.

— Je vous remercie, répondit Leia, ne sachant quoi dire d'autre.

Debout derrière elle, Tenel Ka prit la parole.

— Madame l'ambassadrice, nous souhaitions vous montrer notre respect en obéissant aux règles de Karnak Alpha, où un jeune membre de la maison s'occupe des enfants assis à table avant que le benjamin de la famille serve l'invité d'honneur adulte.

— Je suis enchantée, répliqua l'ambassadrice. Si tous les représentants de la Nouvelle République tiennent autant compte de nos habitudes, il sera facile de signer des contrats de coopération.

Soulagée d'avoir évité un incident qui aurait pu causer du tort à la présidente, Tenel Ka regagna sa place.

Ses yeux noisette élargis par la surprise et l'admiration, Jacen se pencha vers elle :

— Comment savais-tu ça ?

— C'est que... c'est une chose que j'ai apprise.

Tenel Ka ne désirait pas parler de sa haute naissance et de tout ce qu'elle impliquait, même à un ami proche.

Depuis le début des festivités, personne n'avait fait attention à Zekk. Pourtant, il ne se sentait pas à l'aise. À chaque mouvement, il craignait de faire une gaffe qui offenserait quelqu'un ou provoquerait des troubles diplomatiques sans fin.

Quand 6P0 eut fini de servir les derniers convives, Zekk se concentra sur la nourriture, délicieuse et bien plus élaborée que tout ce qu'il avait mangé jusqu'à présent.

La salade croquante présentée dans le bizarre verre en cristal avait un goût étrange... Certaines feuilles étaient amères, d'autres filandreuses. Mais dans sa vie de vagabond, il avait déjà avalé des choses plus infâmes.

Parfois, il avait été réduit à consommer des limaces grillées, accompagnées de champignons cueillis dans les crevasses des caves d'immeubles. Au moins, cette verdure était fraîche.

Aux oreilles de Zekk, la conversation des convives, dépourvue de portée sérieuse, était une interminable déclamation de lieux communs. Pour ne pas se sentir trop exclu, il tenta d'y prendre part.

— Quelle excellente salade, dit-il en repoussant le récipient en cristal. Je ne me souviens pas d'avoir déjà dégusté ces variétés...

Ça sonnait bien, une simple affirmation qui comblerait ses hôtes sans tomber dans la flagornerie. Elle devait lui permettre de participer au papotage en évitant tout incident.

Mais tous les yeux se tournèrent vers lui. Affolé, il examinait sa veste démodée pour voir s'il ne s'était pas couvert de sauce...

Jacen lui lança un regard incrédule. Très maîtresse d'elle-même, Tenel Ka faisait mine de ne pas avoir entendu la remarque du jeune aventurier.

Moqueuse, Jaina le poussa du coude.

— Ce n'était pas une *salade*, souffla-t-elle, c'est le *bouquet*. Il ne fallait pas le manger.

Cette révélation horrifia Zekk, mais il parvint à garder une expression sereine.

Surveillant sans relâche le déroulement du banquet, Z-6P0 se mêla aux débats :

— Il faut préciser, maîtresse Jaina, que même si vous ne les consommez pas d'habitude, de nombreuses plantes sont comestibles. Celles qui composent le décor de table font partie de cette catégorie. Il n'y aurait pas de mal si...

Du bout opposé de la table, Leia s'adressa à Zekk :

— Je suis ravie que tu aies aimé la salade.

Prononcée à haute et intelligible voix, la phrase avait capté l'attention de toute l'assemblée. La présidente approcha de son assiette le vase de cristal. Elle choisit une belle feuille de couleur vert et pourpre et l'engloutit, l'air satisfaite.

Yan Solo dévisagea sa femme comme si elle avait perdu la raison. Puis il sursauta, sans doute à cause d'un coup de pied administré sous la table par sa compagne. Il entreprit alors de dévorer la décoration florale.

Jaina ne fut pas en reste. En un clin d'œil, tous les convives eurent ingéré leur « salade ».

Bien qu'il tentât de ne pas le montrer, Zekk était mort d'humiliation.

Ses manières étaient risibles, ses habits démodés, et il avait embarrassé tout le monde en mangeant quelque chose qui était là pour faire joli.

S'il avait pu n'avoir jamais été invité à ce banquet... Il lui manquait toutes les bases pour y participer selon les convenances !

Le reste de la soirée passa sans autre déconvenue. Puis l'ambassadrice et sa progéniture chevelue quittèrent la table, accompagnées par la présidente et son époux.

Tandis qu'une escorte de gardes de la Nouvelle République ramenait les jeunes gens vers leurs chambres, dans le Palais Impérial, Zekk décida de prendre la poudre d'escampette.

— Ne t'en fais pas pour ce soir, le consola Jaina, compréhensive. Tu es notre ami. C'est tout ce qui compte.

Ce commentaire blessa profondément le jeune aventurier. Pourquoi diable avait-elle éprouvé le besoin de lui dire une telle horreur ?

Leur monde n'était pas le sien. Cette vérité était désormais inscrite en lettres de feu dans sa conscience. Il aurait dû le savoir, mais il avait voulu croire qu'il pouvait fréquenter les gens de la haute.

Trop rapide pour que les gardes puissent le suivre, Zekk s'éclipsa par une porte dérobée. Jaina essaya de le retenir :

— Ne pars ·pas ! cria-t-elle. On se retrouve demain, tu te souviens ? Pour t'aider à configurer l'unité multitâche de Peckhum...

Zekk s'engouffra dans un couloir sans répondre à son amie.

Il ne voulait pas vraiment rentrer chez lui, mais il lui était impossible de rester un instant de plus.

# CHAPITRE VII

Plus tard dans la même nuit, le cargo nommé l'*Adamantin* entra dans l'espace territorial de Coruscant. La multitude de vaisseaux de guerre qui l'accompagnaient laissait deviner l'importance du chargement. Leurs canons, réunis, auraient été capables de pulvériser un système solaire...

Debout sur la passerelle du navire, l'amiral Ackbar ne relâchait pas encore sa vigilance. Malgré les précautions, le danger pouvait surgir n'importe quand.

Respectant l'horaire à la seconde près, l'*Adamantin* approcha des installations d'accostage. Les chasseurs réglèrent leurs armes sur « veille » pour se préparer à rentrer à la base. Avant de s'éclipser, chaque escadron salua Ackbar, le commandant en chef de la flotte de la Nouvelle République.

— Merci de m'avoir escorté, déclara le Calamarien. À partir d'ici, la sécurité de Coruscant nous prendra en charge.

Il coupa la communication, se sentant éreinté après un voyage long et pénible. Mais la Nouvelle République avait un besoin vital des derniers modèles de réacteurs d'hyperdrive et de lasers que le vaisseau transportait dans sa soute blindée.

L'*Adamantin* allait livrer ses composants aux chantiers navals de Kuat Drive Yards, où ils seraient montés sur les nouveaux cuirassés de la flotte. Ackbar devait surveiller l'avancement des travaux. Une aubaine pour lui, car jamais il ne manquait l'occasion de se retrouver à bord d'un vaisseau militaire flambant neuf !

La menace mortelle que représentait jadis l'Empire avait été écartée. Mais les systèmes non alignés pouvaient toujours fomenter des troubles.

Pour protéger la paix, le jeune gouvernement de la Nouvelle République, conduit par la présidente Leia Organa Solo, devait être capable de se défendre contre une attaque-surprise lancée par un ennemi connu ou non.

— La tour de contrôle principale de Coruscant a enregistré notre arrivée, annonça le pilote.

— Il sera bon de se reposer un peu. Quelques jours de détente sur la planète ne seront pas du luxe, dit l'amiral, tournant ses yeux de poisson vers le jeune lieutenant. Avez-vous déjà eu l'occasion de visiter la Cité Impériale ?

— Oui, monsieur. J'y suis venu plusieurs fois. Je connais le restaurant installé sur une plate-forme tournante, en haut d'un immeuble d'où on voit toute la Cité. J'y ai vu un joueur de piano avec dix tentacules. Il faut avoir entendu la musique qu'il joue !

Ackbar sourit à son subordonné, enthousiaste comme tous les jeunes. À cet instant, le navigateur cria un avertissement.

— Amiral ! Je détecte une flotte non identifiée sur les écrans ! Les vaisseaux sont à moins de cinquante kilomètres de distance et ils approchent à grande vitesse. Il semble qu'ils volent en formation d'attaque.

Le Calamarien se retourna pour regarder par les hublots avant.

— En formation d'attaque ? s'étonna-t-il. Nous sommes dans le périmètre de Coruscant, une des zones les mieux protégées de la galaxie. Qui oserait s'en prendre à nous ?

Mais il vit les vaisseaux ennemis, bien réels, qui fondaient sur eux comme des oiseaux de proie surgis de nulle part. Au même moment, il sentit les secousses provoquées par l'impact des tirs de canons ioniques contre les boucliers.

Les systèmes de défense de l'*Adamantin* furent aussitôt paralysés.

— Tout le monde aux postes de combat ! ordonna l'amiral.

Le navire vibra de nouveau.

— Coque endommagée ! cria un capitaine. Nous subissons une perte de pression. Les cloisons d'isolation des sections touchées se mettent en place.

— Transmettez un signal de détresse ! hurla Ackbar. Demandez l'aide des vaisseaux de la sécurité de Coruscant !

— Tous les systèmes d'armement sont hors service. Nous sommes dans l'incapacité de combattre. Mais les moteurs restent fonctionnels... comme si nos agresseurs essayaient de ne pas les toucher.

— Ils veulent s'emparer du navire. ( Ackbar avait deviné l'objectif de l'ennemi. ) Et de notre cargaison.

L'appel de détresse enregistré, l'officier des communications fit le nécessaire pour le diffuser en boucle. Penché sur son clavier, il pâlit.

— Amiral, toutes les fréquences sont brouillées. Nous ne pouvons pas demander d'aide.

La présence d'intrus serait rapidement détectée, et la riposte de Coruscant viendrait dans quelques minutes. Mais Ackbar savait qu'il serait trop tard...

Les vaisseaux ennemis les encerclaient.

La navette d'assaut modifiée fondait sur sa cible. Dans le fauteuil du capitaine, Qorl, l'ancien pilote de chasse, menait l'attaque. Sur sa tête, un casque en forme de crâne se chargeait de l'alimenter en oxygène. Les lunettes noires qui cachaient ses yeux communiquaient à ses rétines toutes les données tactiques essentielles.

Qorl plaqua la « gueule » coupante de la navette contre la coque blindée du cargo rebelle. Un nom s'étalait sur le fuselage : *Adamantin*.

*Adamantin* ! Cela signifiait : « impénétrable, impossible à entamer ».

Qorl ne put retenir un ricanement. Les « dents » de la navette étaient des gemmes corusca de qualité industrielle. Rien ne pouvait leur résister. Encore quelques minutes, et les troupes d'assaut de l'Académie de l'Ombre auraient investi le vaisseau ennemi.

Sur le tableau de bord, Qorl enfonça un gros bouton rouge. Aussitôt, les « dents » se mirent en action, découpant un large cercle dans la coque de l'*Adamantin*.

Les choses sérieuses allaient pouvoir commencer.

Qorl ferma le poing ganté de noir de son bras cybernétique. Le membre de chair et d'os avait été blessé lors de la chute de son chasseur Tie dans la jungle de Yavin 4. À son retour dans l'Empire, après vingt ans de solitude, les ingénieurs avaient coupé ce morceau de « bois mort » pour le remplacer par une prothèse dernier cri.

La force du pilote avait beaucoup augmenté. Tant pis si ses nouveaux doigts mécaniques étaient privés de sensations !

Fusils-blasters au poing, des commandos se pressèrent dans le tunnel d'abordage.

Qorl savait que les plus efficaces défenses du cargo avaient disparu avec son escorte. Quatorze navires — des ailes B et X et des corvettes — auraient été un obstacle insurmontable pour un seul vaisseau impérial. Mais les Rebelles, si près de Coruscant, avaient cédé à un excès de confiance. Guettant depuis le début l'instant où ils baisseraient leur garde, Qorl n'avait pas manqué l'occasion de frapper.

— Contact établi, annonça un capitaine des commandos. Le tunnel est étanche...

— Parfait, dit Qorl, se levant de son fauteuil. Passez à l'attaque. Nous devrons être loin d'ici dans cinq minutes. Vous n'aurez pas de marge d'erreur.

Le sas du tunnel d'abordage s'ouvrit et les commandos chargèrent, arrosant tout ce qui bougeait. Une chance pour les Rebelles, ils avaient réglé leurs armes pour tirer des rayons paralysants.

Non qu'ils eussent quelque souci d'épargner l'équipage de l'*Adamantin*. Mais des tirs mortels auraient pu détruire les systèmes de commandes de la passerelle.

Quelques-uns des Rebelles avaient pris position derrière des consoles et tiraient sur les commandos sans se soucier des dégâts.

Un soldat en armure blanche s'abattit, un trou fumant dans la poitrine. Du micro intégré à son casque jaillit un cri, puis un flot de parasites.

Qorl avança, un pistolaser dans sa main artificielle. Les commandos tirèrent de plus belle. Le pilote de l'*Adamantin* s'écroula, sonné par un rayon paralysant.

Sortant de sa cachette comme un diable de sa boîte, une Rebelle en uniforme d'officier tira quatre fois avant d'être à son tour assommée.

Deux commandos de plus gisaient sur le sol...

Qorl continua d'avancer vers le poste de pilotage.

Il fallait à tout prix repartir dans les trois minutes !

Son champ de vision étant limité par les lunettes, l'ancien pilote vit au dernier moment le commandant de l'*Adamantin* — un Calamarien — qui réussit à lui sauter dessus.

Le pistolaser de Qorl tomba sur le sol.

Le Calamarien combattit vaillamment, mais l'Impérial lui flanqua un formidable direct, sa main cybernétique suffisant à clore les débats.

Qorl récupéra son arme et épousseta son uniforme.

Un capitaine des commandos courut à sa rencontre.

— La passerelle est à nous, monsieur. Nous sommes prêts au départ...

Qorl prit place dans le fauteuil du commandant de l'*Adamantin*.

— Très bien...

Il régla son casque et sa combinaison sur l'étanchéité maximale pour se protéger de la décompression, inévitable dès que la navette d'assaut se séparerait du cargo.

Il hésita un instant...

— Jetez les Rebelles dans un module de secours et larguez-les dans l'espace.

— Vous voulez les sauver, monsieur ? demanda le commando. Nous n'avons pas beaucoup de temps...

— Raison de plus pour vous dépêcher !

Des émotions contradictoires luttaient en Qorl. Les Rebelles étaient ses ennemis, et il avait juré de les combattre. Mais ils s'étaient comportés avec panache, et ils ne méritaient pas de mourir ainsi, inconscients sur le sol d'un vaisseau.

Habitués à obéir, les commandos s'emparèrent des hommes et des femmes inanimés et les entassèrent dans le minuscule vaisseau.

Le capitaine ferma le sas et appuya sur le bouton de mise à feu. Avec un sifflement, le module se détacha de la coque.

Qorl baissa les yeux sur l'écran tactique de l'*Adamantin*. Les forces rebelles arrivaient enfin, fonçant sur le cargo arraisonné.

— Commandos, dit l'ancien pilote, regagnez la navette et allez-vous-en. Je vous retrouverai à la base.

Les soldats ne se le firent pas dire deux fois. Revenus dans la navette, ils fermèrent le tunnel d'abordage et gagnèrent leurs places.

Qorl se raidit quand les deux navires se séparèrent, le vide de l'espace aspirant en quelques fractions de seconde l'atmosphère de l'*Adamantin*.

À l'abri dans sa combinaison, l'Impérial activa les moteurs. Puis il programma un nouveau cap sur l'ordinateur de navigation.

Alors que la flottille rebelle arrivait au contact, Qorl quitta la zone. Avec lui, il emportait un inestimable trésor.

Désormais, le Second Imperium aurait une écrasante supériorité militaire !

Et la base n'était plus très loin...


L'amiral Ackbar reprit connaissance et constata qu'il était enfermé, avec son équipage, dans un module de secours. Sa tête lui faisait mal comme si une mine y avait explosé.

Ses hommes revenaient peu à peu à la conscience.

Pour une raison inconnue, on les avait épargnés...

Le Calamarien se releva et tituba jusqu'à un petit hublot d'où il pourrait voir arriver les vaisseaux de sauvetage.

Quand le module effectua un looping à lui retourner l'estomac, l'amiral aperçut son navire, qui filait comme une flèche, escorté par un essaim de chasseurs Tie.

Les vaisseaux de la Nouvelle République poursuivaient les fuyards, car il était essentiel de récupérer la précieuse cargaison.

En grand tacticien, Ackbar vit au premier coup d'œil qu'ils n'avaient pas une chance de réussir.

De fait, l'*Adamantin* les sema sans difficulté.

Le Calamarien aurait donné cher pour sombrer dans l'inconscience. Hélas, la douleur se déchaînant sous son crâne l'en empêcha...

# CHAPITRE VIII

Zekk avançait au pas de course dans les rues faiblement éclairées de la Cité Impériale. Fuyant le Palais, il empruntait des chemins dérobés pour être sûr de ne rencontrer personne.

Au-dessus de sa tête, les lumières des navettes-taxis avaient du mal à percer le brouillard qui régnait en permanence sur la ville.

Écrasé par les gratte-ciel aux illuminations violentes, Zekk venait de comprendre une chose terrible : malgré les milliards d'habitants de la planète, il était seul. Absolument seul.

Après sa misérable prestation de la soirée, il avait le sentiment qu'un droïd doré se penchait en permanence sur lui, répétant à la cantonade qu'il était un crétin, et un véritable boulet pour ses amis.

Aussi, quel idiot il avait été ! Se mêler à la bonne société, côtoyer des diplomates et des ambassadeurs, copiner avec les enfants de la présidente ! Pour qui se prenait-il donc ?

Un prince ?

Il baissa les yeux, cherchant un objet dans lequel shooter. Avisant une boîte métallique, il tira un fantastique penalty, salissant la botte qu'il avait passé si longtemps à cirer pour plaire à ses prétendus amis.

La boîte percuta un mur. À la grande déception de Zekk, elle n'explosa pas comme un fruit pourri.

Le regard baissé sur les immondices qui jonchaient le caniveau, l'adolescent continua à errer dans le labyrinthe des rues de Coruscant.

Qu'importait où il arriverait ! Les sous-sols de la cité étaient *son* monde, le seul où il pouvait survivre. Ça valait mieux, car il n'avait pas une chance de s'en sortir un jour. Le concept de promotion sociale était un leurre. À l'évidence, il n'était pas l'égal de gens comme Jaina et Jacen, qui pouvaient rêver d'un avenir brillant.

Zekk était et resterait un moins que rien.

Devant lui, il vit un groupe de marchands qui fermaient leurs boutiques en bavardant joyeusement avec les gardes de la sécurité de la Nouvelle République.

Il ne voulait pas approcher de ces gens. Au diable la compagnie ! Ça ne vous apportait jamais rien de bon !

Il se glissa dans un ascenseur public et appuya au hasard sur un bouton. Dix-neuf étages plus bas, il émergea dans une partie plus obscure de la ville.

Le vieux Peckhum devait déjà être au travail, dans son satellite. Sans lui, la maison serait inamicale. Passer la nuit seul à jouer à des jeux holos ne disait rien à l'adolescent. C'était même une idée sinistre...

Il était libre de se promener aussi longtemps qu'il le voudrait. Pourquoi ne pas en profiter ? Personne n'allait lui dire de filer au lit. Personne ne lui passerait un savon pour avoir fréquenté des endroits interdits.

Il avait la bride sur le cou !

Cette idée amena un sourire sur ses lèvres. Il possédait un bien qui manquerait toujours aux jumeaux : la liberté !

Quand ils partaient en exploration, Jaina et Jacen devaient sans cesse regarder leurs montres. Rentrer à l'heure était leur credo, et il n'y avait pas de dérogation. Ces petits anges n'auraient pas voulu que leur droïd de protocole fonde un circuit à force de se faire du souci !

Leur emploi du temps était la prison des enfants Organa Solo.

Zekk n'avait aucune idée des manières requises dans un palais. Et alors ? *Qui* se souciait qu'il ne sache pas quels couverts utiliser pour manger du poisson ? Ou qu'il ignore les ronds de jambe recommandés face à un ambassadeur insectoïde.

Nom de nom ! Il aurait fallu le payer cher pour qu'il échange sa place contre celle de Jacen ou de Jaina.

Très cher !

Alors qu'il errait dans les tunnels abandonnés, prenant un malin plaisir à abîmer ses bottes, Zekk ne s'aperçut pas que les ténèbres s'épaississaient autour de lui. Il ne remarqua pas non plus le silence, de plus en plus oppressant.

Serrant les poings, il blêmit au souvenir de ses récentes humiliations.

Bon sang, il fallait oublier tout ça ! Il se promenait dans sa ville, seul et libre. C'était la vraie vie !

Au plafond, les panneaux lumineux clignotaient. Au bout du tunnel, ils étaient carrément grillés. Un bruit aigu, dans un tuyau d'aération, signala le passage d'un gros rongeur.

Un autre bruit, plus fort, tira Zekk de sa méditation.

Une grande silhouette noire se matérialisa devant lui. Un petit cri s'échappa de ses lèvres.

— Mais qui avons-nous là ? susurra une voix grave et profonde.

La silhouette avança encore. Zekk vit qu'il s'agissait d'une femme aux yeux violets. Elle portait un manteau noir brillant et ses longs cheveux noirs flottaient autour de son visage à la peau laiteuse et aux lèvres carmin.

Elle tenta de sourire, mais cette expression semblait plaquée sur son visage comme un masque.

— Salutations, mon jeune ami, dit-elle. Veux-tu bien m'accorder un peu de ton temps ?

Quand elle approcha encore, l'adolescent remarqua qu'elle boitait.

— J'ai bien peur que non..., commença Zekk en reculant.

Il se retourna pour constater que deux silhouettes massives lui barraient la route. Une solide femme à la peau marron clair et un jeune homme aux sourcils broussailleux.

— Un peu de ton temps, mon garçon, répéta la femme. Vilas et Garowyn, mes amis, vont s'assurer que tu ne feras pas de bêtises. ( Elle se pencha vers lui. ) Je me nomme Tamith Kai. Nous aimerions te faire passer un test. Rassure-toi, ça ne fait pas mal.

Zekk crut reconnaître de la déception dans la voix de la femme.

Vilas et Garowyn le prirent par les bras. Furieux, il se débattit et cria comme un beau diable.

Ses agresseurs semblaient se moquer comme d'une guigne qu'il fasse du bruit. Glacé de terreur, Zekk comprit qu'il ne devait pas être le premier à appeler en vain dans ces couloirs sinistres.

Il essaya de se dégager les bras, mais n'y parvint pas.

Tamith Kai sortit de sous sa cape un étrange appareil composé de feuilles de cristal reliées par un enchevêtrement de fils et connectées à un boîtier de commande.

L'appareil bourdonna.

— Laissez-moi ! cria l'adolescent.

Il flanqua un coup de pied derrière lui, espérant toucher quelque zone sensible.

— Soyez prudents, dit Tamith Kai à ses complices. Les petits ânes peuvent être dangereux quand ils ruent...

Se penchant encore, elle promena l'étrange appareil le long du corps de sa victime.

Le cœur battant la chamade, Zekk serra les dents et ferma les yeux. À sa grande surprise, il n'éprouva aucune douleur, et ne sentit pas de rayon laser lui découper les chairs.

Tamith Kai recula. Vilas et Garowyn tendirent le cou pour regarder le petit écran de l'appareil.

Sans cesser de se débattre, Zekk aperçut sa propre silhouette, minuscule et entourée d'une aura bleue.

— Hum... Surprenant ! dit Tamith Kai. On dirait qu'il a le... potentiel.

— Excellent ! approuva Garowyn. Une sacrée chance !

— Pas pour moi ! cria Zekk. Que voulez-vous ?

— Tu vas venir avec nous, dit Tamith Kai, péremptoire.

— Pas question ! s'insurgea Zekk. Je me fiche de votre « potentiel », et...

— Par pitié, assommez-le ! s'écria Tamith Kai. Il sera plus facile à transporter, et il ne nous cassera plus les oreilles.

Elle fit volte-face et disparut dans l'ombre.

Vilas et Garowyn lâchèrent les bras de Zekk, qui essaya de courir, conscient que c'était sa dernière chance.

Un rayon paralysant le foudroya avant qu'il ait fait cinq mètres.

# CHAPITRE IX

Jaina observait ses frères d'un regard morose. Se mordillant la lèvre, elle se demandait ce que leur mère dirait en revenant des quartiers de l'ambassadrice karnakienne. Il fallait espérer qu'elle ne serait pas trop en colère contre Zekk !

Marmonnant comme un vieux radoteur, Jacen faisait les cent pas dans leur chambre.

— Par mon blaster ! s'écria-t-il avec un grand geste dramatique. Ce n'est pas croyable : Zekk qui prend le bouquet pour une salade ! Par bonheur, Tenel Ka était là pour résoudre les autres problèmes. Mais nous avons quand même dû produire une impression désastreuse sur la Karnakienne. Ses enfants se tenaient si tranquilles...

— Ça ne sera pas aussi terrible que ça, fit Anakin, assis sur un coussin près de la porte. Maman va se débrouiller. Vous verrez.

Jaina soupira.

— Zekk doit se sentir affreusement mal.

— Nous le verrons demain matin, la rassura son frère. Quand nous irons récupérer l'unité multitâche, nous pourrons alors nous excuser d'avoir ri de lui...

La porte de la chambre s'ouvrit, livrant le passage à Leia. Elle n'avait pas l'air fâchée, plutôt amusée.

Passé un moment de surprise, les trois enfants piaillèrent en même temps.

— Je suis désolée, maman. Tout est ma faute, expliqua Jaina.

— L'ambassadrice nous en a voulu ? demanda Jacen.

— Où est papa ? s'enquit Anakin.

Ce tir groupé obligea Leia à réagir.

— Il n'y a pas de raison d'être désolée, Jaina, dit-elle en embrassant sa fille. Selon l'ambassadrice, mes trois enfants sont formidables, et ils ont des amis charmants.

Elle poursuivit, caressant les cheveux noirs et raides de son benjamin :

— Pour répondre à ta question : votre père a d'abord discuté d'itinéraires hyperspatiaux réservés au commerce entre Karnak Alpha et la Nouvelle République. Ensuite, il a abordé un autre point, plus important, avec la délégation karnakienne, et il a décidé de rester encore un peu...

Quelle tournure surprenante les événements avaient prise ! Soulagée, Jaina se laissa tomber dans un canapé moelleux.

Sa mère la rejoignit et Jacen se blottit avec elles. Ayant programmé le meuble pour qu'il imite le mouvement d'une chaise à bascule, Leia se détendit enfin.

Anakin approcha son pouf du canapé.

— La représentante karnakienne était impressionnée par la présence de tant de jeunes gens au banquet, expliqua la présidente. Elle a trouvé qu'un adulte prêt à oublier ses habitudes pour mettre un enfant à l'aise devait pouvoir négocier un traité avec Karnak Alpha. Je suis ravie que vous ayez été avec nous plutôt qu'à l'Académie Jedi.

— Tant mieux, maman, fit Jaina, sa sérénité retrouvée.

— Moi aussi, j'ai appris une chose essentielle ce soir, poursuivit Leia. Pendant que votre père et moi raccompagnions l'ambassadrice et sa suite, j'ai réalisé que *mes* enfants et leurs soucis ont plus d'importance qu'un représentant d'une puissance étrangère, aussi importante fût-elle. Quand nous sommes arrivés dans les quartiers des Karnakiens, l'ambassadrice s'est déclarée prête à négocier les conditions d'une alliance entre sa planète et la Nouvelle République. Je me suis étonnée en répondant qu'il serait toujours temps d'en parler demain. Ce soir, mes enfants avaient besoin de moi et j'avais très envie de passer un moment avec eux.

Jaina s'autorisa un sifflet. Sa mère était tellement préoccupée par ses obligations qu'une telle attitude paraissait inimaginable.

— Tu n'as pas fait ça ! s'exclama-t-elle.

— Si. Et tenez-vous bien, car voilà la réponse : les choses étant ainsi, l'ambassadrice n'avait plus aucun doute sur le succès d'une alliance entre nous ! Tout est pour le mieux...

— Alors pourquoi papa n'est-il pas revenu avec toi ? demanda Anakin. Quel problème est si important ?

Leia choisit ses mots avec soin :

— Votre père a proposé de rester avec les Karnakiens... pour raconter aux enfants une histoire de bonne nuit. La préférée des jumeaux ! Vous devinez laquelle ?

La réponse vint, les trois voix enfantines n'en faisant plus qu'une :

— Le petit Bantha perdu !

— Si c'est comme ça, il va falloir que *tu* nous racontes une de tes aventures, maman, ajouta Anakin, les paupières déjà lourdes de sommeil.

La présidente obéit de bonne grâce.

# CHAPITRE X

Au matin, faisant route vers les quartiers de la basse ville avec ses copains, Jacen sentit un désagréable picotement dans son dos, comme si une colonne de mermynes avait rampé le long de son échine...

Quelque chose n'allait pas, sans qu'il pût dire quoi.

— Par mon blaster ! grommela-t-il.

Les quatre jeunes gens avaient les nerfs à fleur de peau, ce matin.

Connaissant mieux que les autres le chemin du logement de Zekk, Jaina guidait le groupe. Jacen, lui, se serait perdu à tous les coups...

Tenel Ka et Lowie formant l'arrière-garde, ils traversèrent des passages remplis de débris de métal et de pierre. L'éclairage faiblissait à mesure qu'ils avançaient. Chargé d'une odeur de rouille et de décomposition, l'air sentait le danger et la mort. Comble de misère, il était aussi... incommodant de puanteur — du moins à en juger par le nez froncé du jeune Wookie.

— Nous voilà arrivés, annonça Jaina après s'être engouffrée dans un couloir étroit.

Elle s'arrêta devant une porte et appuya sur un bouton. Un voyant rouge s'alluma, indiquant que l'accès leur était refusé.

— C'est bizarre. Hier, Zekk a dit qu'il programmerait une autorisation pour nous.

— Il est peut-être plus fâché que nous le pensions, suggéra Tenel Ka.

— C'est possible, concéda Jaina, mais pas très probable. Zekk tient toujours ses promesses. Nous avons déjà eu des... divergences d'opinion, et...

La jeune fille hésita à continuer. Lowie grogna un commentaire, aussitôt traduit par DTM :

— Lowbacca se demande si maître Zekk n'est pas simplement sorti faire son jogging. Ou des courses pour le petit déjeuner.

— Ce serait une bonne idée, vu les rations qu'il nous a offertes l'autre jour, dit Jacen, l'estomac révulsé à ce souvenir.

— Il savait que nous viendrions, insista Jaina. Il devrait être là !

— On va l'attendre un moment, proposa Jacen avant de s'asseoir à même le sol. Il arrivera dans quelques minutes avec une histoire invraisemblable...

— Ça lui ressemblerait bien, admit Jaina.

Conscient de l'inquiétude de sa sœur, Jacen fit mine d'éprouver une confiance à toute épreuve :

— Assieds-toi. Il sera là dans un instant, tu verras. Pour passer le temps, je pourrais vous sortir quelques blagues de mon cru...

Les jumeaux racontèrent à leurs amis quelques-unes des aventures de Zekk. Jacen choisit celle où il avait descendu quarante-deux étages dans une cage d'ascenseur désaffectée parce que la lumière de sa lampe avait rencontré quelque chose de brillant.

À mesure qu'il approchait, l'éclat augmentait. Zekk avait gardé courage, car le trésor qui l'attendait devait être fabuleux.

Vu de près, le butin se révéla être une feuille de matière isolante posée là pour boucher une fuite.

Jaina opta pour une histoire où leur ami était plus à son avantage. Dans une file d'attente, lors de la distribution gratuite d'échantillons d'un nouveau produit alimentaire, plusieurs touristes reptiloïdes lui avaient chipé sa place. Pour leur faire payer ce manque d'éducation, Zekk avait altéré la programmation de leur traducteur automatique : à chaque fois que les visiteurs étrangers demandaient le chemin d'un restaurant ou d'un musée, ils étaient dirigés vers des établissements que la morale réprouve ou dans des usines de recyclage des ordures ménagères...

DTM ne put s'empêcher d'émettre un commentaire indigné :

— Quelle effroyable affaire !

Les minutes passèrent et devinrent des heures. Leur ami ne se montrait toujours pas.

Jaina se leva.

— Quelque chose ne tourne pas rond, dit-elle. Zekk ne viendra plus.

Lowie grogna ; DTM traduisit :

— Lowbacca pense que maître Zekk a peut-être besoin de plus de temps pour surmonter sa... gêne... après le faux pas commis hier soir. Je ne crois pas que je réussirai un jour à comprendre les humains...

— La thèse de 6P0 se tient, lâcha Jaina sans conviction.

— Pourquoi ne laisserait-on pas un message vidéo ? proposa son frère. Nous essayerons à nouveau demain. Il ne peut pas nous en vouloir pendant des siècles...

Le lendemain, Zekk resta introuvable. La sonnerie ne provoquait pas de réaction ; la messagerie vidéo n'avait pas été consultée depuis la veille.

Le vieux Peckhum serait bientôt de retour de sa mission. À première vue, il se retrouverait dans un appartement vide.

Jacen étudia la porte.

— Je crois qu'il faut prendre des mesures plus énergiques !

— C'est un fait, approuva Tenel Ka. Partons à sa recherche.

— On attend quoi ? demanda Jaina en se frottant les mains. Si on ne le trouve pas, il sera toujours temps d'en parler à maman.

En fin d'après-midi, quand les quatre amis pénétrèrent dans le bureau de leur mère, elle semblait préoccupée.

— Je suis contente de vous voir, les enfants, dit-elle. Je voudrais vous montrer quelque chose...

Avant que les jumeaux puissent lui parler de Zekk, Leia alluma la vidéo.

Sur le film aux images floues et instables, des vaisseaux de guerre impériaux attaquaient un cargo de la Nouvelle République.

La scène semblait se passer dans l'espace de Coruscant.

Jaina réagit la première.

— Le gros vaisseau ressemble à celui qui nous a kidnappés sur la station des Pêcheurs de Gemmes de Lando !

Lowbacca gronda une confirmation.

— C'est ce que je pensais d'après votre description, expliqua la présidente. À présent, je peux le dire à l'amiral Ackbar. Cette agression s'est produite il y a deux nuits. Mes enfants, une menace réelle pèse sur la capitale.

— Je vais repasser la vidéo, dit Jaina. Quelque chose cloche sur ces images. Je voudrais comprendre quoi.

Leia reprit place derrière sa table de travail.

— L'amiral Ackbar et ses experts sont en train d'analyser les films. Peut-être auront-ils quelques questions à vous poser. En attendant, nous prenons des dispositions pour repousser une autre attaque des Impériaux...

Après ces nouvelles inquiétantes, quand Jacen l'informa de la disparition de leur ami, Leia ne sembla pas s'en émouvoir beaucoup.

Elle regarda tour à tour les quatre jeunes Chevaliers Jedi.

— Permettez-moi une question : qui connaît mieux la Cité, vous ou Zekk ?

— Zekk, répondit Jacen. Mais...

— Si votre ami est vexé et se cache quelque part, poursuivit sa mère, est-il étonnant que vous n'ayez pas réussi à le trouver ?

— Il ne ferait jamais ça ! objecta Jaina. On avait rendez-vous.

— Alors peut-être a-t-il trouvé l'unité multitâche. Peckhum a dû lui permettre de le rejoindre en orbite...

— Il nous aurait laissé un message ! affirma Jaina.

— Elle a raison, maman, renchérit son frère. Zekk a l'air d'un rustre, mais sa parole est sacrée...

Leia demeura sceptique.

— Depuis combien de temps le connaissons-nous ?

— Environ cinq ans, mais quel rapport avec...

— Durant ces cinq ans, continua la présidente, combien de fois a-t-il disparu pour réapparaître, frais comme un gardon, après une aventure invraisemblable ?

— Hum... Peut-être une demi-douzaine de fois..., admit Jacen.

— Voilà. Vous comprenez ce que je veux dire ?

Pour Leia, les débats étaient clos. Mais ses enfants insistèrent.

— À ces occasions, précisa Jacen, nous n'avions pas prévu de passer la journée ensemble.

— Et il n'était pas dans tous ses états après un banquet officiel marqué par une accumulation de maladresses. ( Leia soupira. ) Écoutez, il est plus âgé que vous, donc libre d'aller et de venir à sa guise. Même si nous étions certains qu'il est perdu — ce qui n'est pas le cas — nous ne pourrions pas faire grand-chose. La galaxie est grande. Qui sait où il peut être ?

« Des gens disparaissent tous les jours. Nous n'avons pas les moyens de lancer autant de recherches. La semaine dernière, j'ai lu un rapport sur trois adolescents qui se sont évanouis de la Cité Impériale. Pourquoi ne pas attendre que Peckhum revienne ? Je crois qu'il sera de retour demain. Il aura peut-être des idées...

La présidente fit comprendre aux quatre amis qu'elle devait retourner à son travail.

— Je dois me préparer à la prochaine réunion avec l'ambassadrice karnakienne. Nous avons encore du pain sur la planche ! Ensuite, mon agenda prévoit une cérémonie en musique avec les représentants du Peuple Hurlant des Arbres... ( Leia se massa les tempes ; une migraine semblait inévitable. ) Ce poste est passionnant... la plupart du temps !

Hors du bureau maternel, Jacen laissa libre cours à sa frustration.

— Maman ne croit pas qu'il y a un problème !

— Dans ce cas, nous devons nous débrouiller seuls. Reprenons les recherches !

Lowie s'était déjà mis en route.

— Le destin de Zekk est entre nos mains, déclara Jacen.

— C'est un fait, ajouta Tenel Ka.

# CHAPITRE XI

Zekk reprit lentement connaissance. Il lui semblait avoir encaissé une décharge d'un million de volts, qui aurait court-circuité ses nerfs et tétanisé ses muscles.

Il avait une migraine épouvantable. Sous son dos, le sol métallique était glacé ; une lumière blanche et crue lui blessait les yeux.

Il s'assit, clignant des paupières pour chasser les taches multicolores qui dansaient devant ses yeux. Il se trouvait dans une pièce nue aux murs blanc grisâtre. En cherchant bien, il découvrit une petite grille de haut-parleur et une bouche d'aération, mais rien d'autre, pas même une porte.

Zekk comprit qu'il était dans une cellule. Il se souvenait des gens bizarres qui l'avaient capturé en ville — une femme aux cheveux noirs et aux yeux violets, qui utilisait un étrange appareil, et un jeune homme qui l'avait assommé...

— Hé ! s'écria-t-il d'une voix rauque. Hé ! Où suis-je ?

Il se leva et, d'un pas mal assuré, se dirigea vers le mur le plus proche qu'il martela de coups de poing pour attirer l'attention de ses geôliers.

Comme il n'obtenait pas de réponse, il tituba jusqu'au haut-parleur et cria :

— Je veux savoir ce qui se passe ! Vous n'avez aucun droit de me retenir !

En dépit de son insouciance de surface, Zekk savait des choses que Jacen et Jaina, élevés du bon côté des barrières de la loi, n'auraient jamais pu comprendre.

Si quelqu'un s'avisait de les lui ôter, personne ne se battrait pour faire respecter ses « droits ». Personne n'enverrait des troupes à sa rescousse. S'il disparaissait, ça ne créerait pas d'incident diplomatique, à supposer que quelqu'un s'en aperçoive.

— Hé ! cria-t-il de nouveau, flanquant des coups de pied dans le mur. Pourquoi suis-je prisonnier ? Que voulez-vous de moi ?

Il entendit un sifflement, de l'autre côté de la pièce, et se retourna. Un panneau coulissa, révélant un homme entouré de commandos de l'Empire. Grand, robuste et vêtu de robes argentées, il avait des cheveux blonds et un visage finement ciselé. Toute sa personne dégageait une aura de calme et de sérénité.

— Ne t'énerve pas si vite, mon jeune ami. Nous sommes venus dès que nous avons constaté ton réveil. Tu aurais pu te faire mal en frappant aussi fort sur les murs.

— Je veux savoir pourquoi je suis ici, répliqua Zekk, toujours sur ses gardes. Laissez-moi partir ! Mes amis doivent me chercher partout.

— J'en doute, dit l'homme en secouant la tête. Pas selon mes informations, en tout cas. Mais tu n'as pas lieu de t'inquiéter.

— Pas lieu de m'inquiéter ? Comment pouvez-vous... ?

Zekk s'interrompit. L'inconnu avait raison. Jacen et Jaina ne voudraient plus être vus en sa compagnie après sa conduite désastreuse lors du banquet.

— Que voulez-vous dire ? reprit-il plus calmement.

L'homme aux robes argentées fit un signe aux commandos. Ceux-ci se postèrent de chaque côté de l'entrée ; leur chef entra dans la cellule et referma la porte derrière lui.

— Je vois qu'on t'a mis dans nos... quartiers d'habitation... les moins agréables, soupira-t-il. Je te trouverai une chambre plus confortable dès que possible.

— Qui êtes-vous ? demanda Zekk, méfiant. Pourquoi m'avez-vous fait assommer ?

— Je m'appelle Brakiss, et je m'excuse de... l'enthousiasme de ma collègue Tamith Kai. Mais je pense qu'elle a autorisé ce traitement parce que tu te débattais. Si tu avais coopéré, l'expérience aurait été beaucoup moins déplaisante pour toi.

— Je ne vois pas en quoi un kidnapping peut être plaisant pour la victime, rétorqua Zekk.

— Un kidnapping ? reprit Brakiss, faussement

étonné. Ne saute pas à la conclusion avant d'avoir entendu toute l'histoire.

— Je vous écoute.

— Très bien. Veux-tu un rafraîchissement ? Ou quelque chose de chaud, peut-être ?

— Non. Dites-moi simplement ce qui se passe.

Brakiss joignit les mains. Ses robes argentées ondulèrent autour de lui comme l'eau d'un étang sous le souffle du vent.

— J'ai de bonnes nouvelles pour toi. Du moins, j'espère que tu les considéreras ainsi, quand tu auras surmonté le choc.

— De quoi voulez-vous parler ? demanda Zekk en fronçant les sourcils.

— Sais-tu que tu as le potentiel d'un Chevalier Jedi ?

L'aventurier écarquilla les yeux.

— Un Jedi, moi ? Vous avez dû vous tromper de personne.

Brakiss grimaça.

— Un très gros potentiel. J'en ai été extrêmement surpris. Tes amis Jacen et Jaina ne t'en ont-ils jamais parlé ? N'étais-tu pas au courant ?

— Je n'ai pas le potentiel d'un Jedi, s'obstina Zekk. C'est impossible !

— Et pourquoi donc ? demanda Brakiss, haussant les épaules.

Il avait l'air si raisonnable... Zekk baissa les yeux.

— Parce que... Je suis juste un gamin des rues : autant dire personne. Les Chevaliers Jedi sont les protecteurs de la Nouvelle République. Ils sont puissants et...

— C'est vrai, l'interrompit Brakiss, mais posséder

les pouvoirs d'un Jedi ne dépend pas de la façon dont on vit ou dont on a grandi. La Force n'a que faire des classes sociales. Luke Skywalker lui-même était le fils adoptif d'un fermier.

« Pourquoi un pauvre garçon comme toi n'aurait-il pas autant de potentiel que les enfants d'une politicienne élevés dans du coton ? Ton existence difficile te rend en fait bien supérieur à ces morveux.

— Ce ne sont pas des morveux, protesta Zekk. Ce sont mes amis.

Brakiss fit un geste insouciant de la main.

— Comme tu voudras.

— Pourquoi n'étais-je pas au courant ? demanda l'adolescent. Pourquoi n'ai-je jamais rien senti ?

Il comprit soudain ce que Tamith Kai mesurait avec son appareil.

— Tu ne peux pas être conscient de ton potentiel si personne ne t'a jamais entraîné. Mais il est assez facile à détecter. Puisque Jacen et Jaina sont tes amis, je m'étonne qu'ils n'aient jamais pensé à te tester. Maître Skywalker ne cherche-t-il pas sans cesse de nouveaux élèves ?

Zekk hocha la tête à contrecœur.

— Dans ce cas, pourquoi ne testent-ils pas tous les gens autour d'eux ? Pourquoi te méprisent-ils au point de t'écarter des sélections ? Ils pensent sans doute qu'un gamin des rues est indigne de l'entraînement Jedi, quelles que soient ses possibilités.

— Ce n'est pas ça du tout, marmonna Zekk.

— Crois ce que tu veux, dit Brakiss.

Bien qu'il n'y eût pas grand-chose à regarder dans la petite cellule, Zekk détourna le regard.

— Où sommes-nous ? demanda-t-il pour changer de sujet.

— À l'Académie de l'Ombre, répondit Brakiss. ( Zekk sursauta : c'était l'endroit où Jacen et Jaina avaient été retenus prisonniers. ) Je suis chargé du recrutement et de l'éducation des Jedi du Second Imperium. Mes méthodes sont assez différentes de celles de Skywalker. ( Sa voix se fit tout miel. ) Mais bien sûr, tu ne peux pas le savoir : tes amis ne t'ont jamais emmené sur Yavin 4, hein ? Pas même pour une petite visite ?

Zekk secoua la tête.

— J'entraîne des Jedi, de puissants guerriers qui réhabiliteront l'Empire. L'Alliance Rebelle est un mouvement criminel. Bien entendu, tu ne peux pas comprendre : tu es trop jeune pour te souvenir du règne de l'Empereur Palpatine.

— Je hais l'Empire ! protesta Zekk.

— Pas du tout, lui assura Brakiss. Tes amis t'ont suggéré de le détester, mais tu n'as jamais pu te faire une idée autonome. Tu connais *leur* version de l'histoire. Un gouvernement essaie toujours de faire passer ses ennemis vaincus pour des monstres.

« Mais je vais te dire la vérité. L'Empire ne connaissait pas le désordre. Chacun y avait des chances de réussite. Alors les gangs ne fleurissaient pas dans les rues de Coruscant. Tous les gens avaient une tâche à accomplir, et ils s'en acquittaient volontiers.

« D'ailleurs, en quoi la politique galactique te concerne-t-elle ? Ton existence serait-elle bouleversée si le chef de l'État était remplacé par une autre personne ? Si tu travailles pour nous, ta vie prendra un nouveau tournant...

Zekk secoua la tête, les dents serrées.

— Je ne trahirai pas mes amis, gronda-t-il.

— Tes amis ? Oh, oui... Ceux qui n'ont jamais testé ton potentiel, et qui viennent te voir quand leurs engagements officiels leur en laissent le temps. Tu sais qu'ils t'abandonneront dès qu'ils auront mieux à faire. Ces traîtres t'oublieront en un clin d'œil.

— C'est faux, chuchota Zekk.

— À ton avis, que sera ton avenir ? poursuivit Brakiss de sa voix la plus persuasive. Tu t'es fait des amis dans les plus hautes sphères, mais en feras-tu partie un jour ? Essaie d'être honnête avec toi-même.

Zekk ne répondit pas. Au fond de son cœur, il connaissait la vérité.

— Tu vivras d'expédients jusqu'à la fin de tes jours, mais auras-tu jamais la moindre chance de devenir quelqu'un ?

Zekk garda le silence. Brakiss se pencha vers lui, une expression compatissante sur son beau visage.

— Moi, je t'offre une chance. Seras-tu assez courageux pour la saisir ?

Cherchant un moyen de résister, Zekk se concentra sur sa colère.

— Vous avez dit ça à Jacen et à Jaina ; comme ils refusaient, vous les avez torturés !

Brakiss éclata de rire.

— Torturés ? dit-il en secouant la tête. Je suppose que pour des gamins gâtés, un peu de travail semble toujours inhumain. Je leur ai proposé de les entraîner et je reconnais que c'était une erreur. Nous cherchions des élèves, c'est vrai, mais le profil moyen des candidats a beaucoup trop attiré l'attention sur nous.

« Alors nous avons opté pour une solution différente. Comme je te l'ai dit, la Force est autant présente chez les défavorisés que chez les riches. Ton statut social ne nous importe pas le moins du monde — seuls comptent ton talent et ta volonté de l'exploiter. Tamith Kai et moi avons décidé de chercher des candidats dont le potentiel est fort, mais dont la disparition provoquera moins de remous que celle des fils de bonne famille. Des gens qui auront assez de motivation pour s'entraîner dur. ( Les yeux de Brakiss brillèrent. ) Si tu te joins à nous, je te garantis que personne n'ignorera ou n'oubliera jamais le nom de Zekk.

La porte se rouvrit ; un garde apporta un plateau couvert de boissons fumantes et de pâtisseries.

— Prenons un goûter en parlant, proposa Brakiss. Je pense avoir déjà répondu à la plupart de tes questions, mais si tu en as d'autres, ne te gêne pas.

Réalisant qu'il avait très faim, Zekk mordit à belles dents dans un gâteau à la crème. Il n'avait jamais rien mangé d'aussi bon.

Les paroles de Brakiss le terrifiaient, mais le problème de son avenir le tourmentait depuis longtemps. Il refusait encore de l'admettre, pourtant les promesses du Jedi avaient fait vibrer en lui une corde sensible.

Brakiss referma la porte derrière lui et se tourna vers les commandos.

— Trouvez-lui une meilleure chambre. Je doute qu'il nous pose beaucoup de problèmes.

Comme il s'engageait dans le couloir, il aperçut Qorl, qui venait à sa rencontre. L'ancien pilote était toujours vêtu de sa combinaison noire et il tenait un casque en forme de crâne sous son bras cybernétique.

— Le cargo rebelle *Adamantin* est prisonnier de nos boucliers, seigneur Brakiss, annonça-t-il. En ce moment, nos hommes se chargent de le désarmer.

Brakiss fit un grand sourire.

— Excellent. La cargaison est-elle à la hauteur de nos espérances ?

Qorl hocha la tête.

— Affirmatif. Les générateurs d'hyperdrive et les lasers nous permettront de doubler la puissance du Second Imperium. C'était une opération de tout premier ordre.

Brakiss croisa les mains sur sa poitrine.

— Parfait. Tout se passe comme prévu. Je vais faire mon rapport à notre chef et je l'informerai de ces bonnes nouvelles. Bientôt, l'Empire régnera de nouveau et les Rebelles ne seront plus qu'un mauvais souvenir.

# CHAPITRE XII

— Navette *Larme-de-Lune*, ici la tour de contrôle numéro un de Coruscant. Vous êtes autorisés à décoller. Ouverture des portes de la section Gamma. Terminé.

Le capitaine Narek-Ag ouvrit une fréquence.

— Merci, tour numéro un. Ici la navette *Larme-de-Lune*. Nous nous dirigeons vers les portes du hangar Gamma. Terminé.

La jeune femme coupa le micro et fit une grimace de conspirateur à Trebor, son copilote.

— Encore quelques missions aussi lucratives que celle-ci, et je te demanderai de m'épouser, dit-elle, ses yeux noisette pétillant de malice.

— Continue à gagner autant d'argent et j'accepterai, répondit Trebor en éclatant de rire.

Avec l'habileté que lui conféraient des années

d'entraînement, Narek guida son vaisseau hors du hangar de la station spatiale.

— Coordonnées programmées ?

— Programmées et confirmées.

Pendant qu'elle traversait le système de Coruscant, Narek calcula une trajectoire hyperspatiale pour Bespin, la première planète où ils feraient escale.

— Tu sais, pour de petits indépendants...

— On ne s'en tire pas trop mal, compléta Trebor.

Narek sourit.

— Le cap ?

— Programmé... Si nous nous dépêchons, il nous restera assez de temps pour livrer ce chargement dans la Cité des Nuages et embarquer une autre cargaison. Ça doublerait nos bénéfices.

Un sourire illumina le visage de Narek, qui repoussa derrière son oreille une mèche de cheveux auburn.

— J'adore quand tu parles comme un homme d'affaires.

— Comme un *non-humain* d'affaires, corrigea Trebor. Prépare-toi à plonger dans l'hyperespace.

Soudain, la navette s'arrêta net comme si elle venait de percuter un obstacle. Elle ricocha et partit en vrille.

Les alarmes se déclenchèrent et des lumières rouges clignotèrent sur le tableau de bord.

— C'était quoi ? demanda Narek, secouant la tête pour reprendre ses esprits.

Elle sonda l'espace.

— Je n'en sais rien ! s'exclama Trebor. Les radars ne révèlent rien d'anormal.

— C'est le *rien* le plus solide que j'aie jamais rencontré, grommela Narek-Ag. Vérifie l'état du matériel.

— Tu ne pourrais pas nous stabiliser d'abord ? Bon sang, nous avons une brèche dans la coque de la soute. Oh, non ! La cargaison fout le camp ! Les moteurs sont en dessous du nominal. ( Trebor déglutit péniblement. ) On est dans la mouise !

Comme pour confirmer ses dires, une gerbe d'étincelles jaillit de la console de pilotage. Narek perdit le contrôle du vaisseau.

— Coruscant un, nous avons une urgence ! Ici la navette *Larme-de-Lune*. Nous sommes entrés en collision avec des débris non identifiés, cria Trebor dans le micro.

Le crépitement des parasites fut ponctué par une deuxième gerbe d'étincelles.

Narek-Ag toussa et agita une main devant elle pour dissiper la fumée. Elle appuya en vain sur deux boutons.

— Le système de propulsion ne répond plus, dit-elle, tendue. Pourtant, les radars ne trouvent rien. Dans quoi sommes-nous rentrés ?

— De toute façon, ça ne pourrait pas être pire, grommela Trebor.

— Je crains que tu te trompes, dit Narek d'une voix atone. Je ferais mieux de te demander en mariage tout de suite...

Trebor jeta un coup d'œil au cadran qui avait attiré l'attention de son capitaine et pâlit. Une réaction en chaîne venait de se déclencher dans la salle des moteurs. Dans quelques secondes, la navette exploserait comme une supernova.

— J'ai toujours voulu me marier dans les étoiles, dit-il, des larmes dans les yeux. On ne m'a jamais fait une offre pareille... J'accepte volontiers. ( Il prit la main de Narek. ) Mais tu choisis quand même mal ton moment.

— Les moteurs entrent en phase criti...

La navette explosa, gigantesque boule de métal en fusion et de gaz enflammés.


Au Palais Impérial, Jaina arpentait la salle à manger familiale. Ce comportement lui rappelait un fauve de la jungle qu'elle avait vu un jour au Zoo Holographique des Espèces Animales Éteintes. Elle détestait l'inactivité.

Elle voulait faire quelque chose.

Jacen et Tenel Ka étaient partis à la recherche de Zekk avec 6P0 et Anakin et Lowie travaillait avec son oncle Chewbacca. Quand Jacen avait suggéré que quelqu'un reste au Palais, au cas où Zekk essaierait de les contacter, Jaina s'était proposée à contrecœur.

Elle avait essayé de joindre Peckhum, qui devait rentrer le jour même. Le vieil homme avait répondu, mais avant qu'elle ait fini de lui expliquer la disparition de Zekk, l'image s'était brouillée sur l'écran.

— ... comprends pas ton... reçois mal... transmission... là ce soir...

L'unité multitâche de la station lui envoyant des bribes de phrases incompréhensibles, elle avait dû se résigner à attendre le soir.

Quand sa mère revint pour le repas de midi, Jaina mourait d'envie de parler, mais Leia semblait si fatiguée et préoccupée qu'elle jugea préférable de se taire.

Elle lui apporta un repas chaud et s'assit en face d'elle pour manger en silence.

Quelques minutes plus tard, Yan Solo entra et se précipita vers sa femme.

— Je suis venu dès que j'ai eu ton message. Que se passe-t-il ?

Un sourire passa sur le visage de Leia.

— J'ai besoin de ton avis sur une question importante. As-tu le temps de manger un morceau avec nous ?

— Comment pourrais-je refuser un déjeuner avec les deux plus belles femmes de la galaxie ? se récria Yan. ( Il se laissa tomber sur un siège. ) Quel désastre nous frappe encore ? Une autre attaque impériale ?

Il se servit une généreuse ration de ragoût corellien.

— Un désastre, tu peux le dire, soupira Leia. Une navette a explosé ce matin au moment où elle quittait l'orbite.

Jaina leva la tête, mais son père acquiesça et dit :

— Je sais, on me l'a annoncé il y a une heure.

Leia fronça les sourcils.

— Personne ne comprend ce qui s'est passé. Qu'est-ce qui a pu provoquer un tel accident ?

— Un manque d'entretien ? suggéra Jaina. Une surcharge des moteurs ?

— Coruscant un a reçu une transmission avant l'explosion. Le capitaine semblait croire qu'ils avaient heurté quelque chose, répondit Leia, pensive.

— Il y avait d'autres vaisseaux dans les parages ? demanda Yan.

— Non.

— Une mine spatiale ? Des débris ?

— On en a croisé pas mal sur le chemin du retour..., intervint Jaina.

Leia fit une grimace.

— C'est bien ce que je craignais. Le commissaire aux Échanges Commerciaux prend cette affaire à cœur. Avec toutes les saletés en orbite autour de la planète, il trouve miraculeux que nous n'ayons pas eu d'accident jusque-là. Il insiste pour que nous donnions la priorité à l'établissement de voies spatiales plus sûres. Nous avions déjà répertorié les plus gros débris, mais je crains que certains n'aient échappé à nos recherches. Nous n'avons pas vraiment eu le temps d'effectuer des vérifications.

Yan haussa les épaules.

— Ne te mets pas martel en tête. Les accidents sont rarissimes.

— D'après les transmissions, les occupants de la navette n'ont pas vu ce qu'ils avaient heurté, et ça ne figurait sur aucune carte. Je suis d'accord avec le commissaire : il faut faire quelque chose.

— Enregistrer les orbites des plus gros débris serait-il un gros travail ? demanda Yan.

— Plutôt, oui. Et ce serait très long. Je ne suis pas certaine que la Nouvelle République ait les moyens d'entreprendre une tâche de cette ampleur.

— Je pourrais peut-être vous aider, proposa Jaina. Après tout, oncle Luke nous a demandé de mener à bien un projet pendant notre absence. Lowie et moi pourrions dresser une carte ; ce serait amusant.

*Et au moins,* songea-t-elle, *ça m'empêcherait de penser à Zekk.*

Jaina leva les yeux vers l'écran de l'ordinateur, puis vers le simulateur holographique.

— D'accord, Lowie, passons à la trajectoire suivante, dit-elle en regardant son bloc-notes.

Elle s'étira pour détendre les muscles de ses épaules et se frotta les yeux, mais sa vision ne s'éclaircit pas pour autant. Ils travaillaient depuis des heures. Comment avait-elle pu croire un instant que ce serait amusant ?

Le jeune Wookie avait programmé la trajectoire indiquée, et une ellipse brillante apparut sur l'holo-carte. Jaina soupira.

— Ce boulot est important, mais je l'aurais quand même cru plus intéressant.

Lowie poussa quelques grognements que DTM s'empressa de traduire.

— Maître Lowbacca dit que les devoirs de vacances le sont rarement, et que ce projet a au moins le mérite d'être utile. De plus, vous n'en avez encore fait que douze pour cent et vous vous sentirez sûrement très fière quand vous aurez terminé.

— Très bien, grommela Jaina, passant une main dans ses cheveux bruns. On continue ?

# CHAPITRE XIII

Peckhum changea son sac de voyage d'épaule et se dirigea vers les portes du hangar où stationnait le *Bâton de Foudre*. Beaucoup d'escrocs et de contrebandiers y entreposaient leurs vaisseaux. Le vieux messager était content de se retrouver chez lui.

Contrairement à ceux de la station, tous les appareils de son appartement fonctionnaient encore !

En marchant, il marmonna dans sa barbe.

— Il faudra faire avec, Peckhum. Nous avons des problèmes d'approvisionnement, Peckhum. Le nouvel équipement coûte cher, Peckhum. Les unités multitâches ne poussent pas sur les arbres, Peckhum.

Le vieil homme se gratta le menton. Il avait presque autant l'habitude de parler seul que de s'adresser à Zekk.

— Ils auraient au moins pu attendre que je

débarque pour m'annoncer la nouvelle : « Nous avons essayé de vous joindre, Peckhum, mais nous n'avons pas réussi. » Évidemment, puisqu'ils n'ont pas réparé mon système de communication ! « À cause de l'attaque impériale, votre collègue a été affecté à la sécurité. Il faut que vous retourniez sur la station demain, Peckhum. » Peuh !

Il poursuivit son chemin sans remarquer les touristes aux yeux écarquillés, les marchands joyeux et les fonctionnaires affairés qui pullulaient dans les rues.

— Si seulement l'administrateur de la station sortait un peu de son bureau et venait observer ce qui se passe sur le terrain ! Qu'on lui fasse bouffer les horreurs des unités alimentaires, et on verra s'il garde le sourire ! Et comment il fera avec !

« Si j'attendais que ces bureaucrates fassent quelque chose pour moi, la station tomberait déjà en morceaux. ( Il sourit à l'idée de l'unité multitâche neuve que Zekk lui avait promise. ) Parfois, on est bien obligé de se débrouiller seul... Ou avec l'aide d'un ami.

Il arriva devant la porte de son appartement et composa le code d'accès. À l'intérieur, l'air sentait le renfermé, comme si personne n'avait ouvert les fenêtres depuis plusieurs jours. Il faudrait qu'il en parle à Zekk, à l'occasion.

Peckhum posa son sac de voyage dans le couloir et attendit que la voix familière de son jeune ami lui souhaite la bienvenue.

— Hé, Zekk !

Pas de réponse. L'appartement semblait anormalement silencieux.

Il haussa le ton.

— Zekk ?

Il parcourut du regard le fouillis de la salle à manger et se dirigea vers la cuisine, puis vers la chambre de Zekk. Toutes deux étaient vides.

Un pli soucieux lui barra le front. Zekk sortait rarement quand il attendait son retour.

De plus, Peckhum ne voyait aucune trace de l'unité multitâche. Pourtant, il aurait dû la rapporter le lendemain.

Il massa son menton râpeux et réfléchit un moment.

— Évidemment, lâcha-t-il avec un soupir. Les petits Solo...

Jacen et Jaina étaient sur Coruscant pour quelques semaines. Ils devaient vadrouiller avec Zekk et parler des aventures extraordinaires vécues sur d'autres planètes.

Peckhum remarqua une lumière qui clignotait sur l'info-panneau, à côté de la porte d'entrée. C'était sans doute un message de Zekk, pour qu'il ne s'inquiète pas.

Il y avait trois enregistrements. Sur le premier, on voyait Jacen et Jaina en compagnie de deux autres étudiants.

— Salut, Zekk. On voulait aller chercher avec toi l'unité de Peckhum. Tu devais t'en occuper ce matin, non ? On reviendra demain. Si tu changes d'avis, préviens-nous.

Sur le deuxième enregistrement figuraient les mêmes jeunes gens. Cette fois, ils avaient l'air inquiet.

— Zekk, c'est nous. Tu vas bien ? On t'a cherché

partout ! Je suis désolée pour l'autre soir, ce n'était vraiment pas ta faute. Tu peux nous rappeler dès ton retour ?

Sur le troisième enregistrement, la petite Jaina semblait au bord des larmes.

— Zekk, quelque chose ne va pas ? On est tous navrés, et si on a dit quelque chose qui ne t'a pas plu pendant le banquet, excuse-nous. Si tu as récupéré l'unité multitâche sans nous, on ne t'en voudra pas. Mais fais-nous signe.

L'estomac de Peckhum se noua. Il s'était passé quelque chose. Il regarda autour de lui, cherchant du regard un message de Zekk. Rien.

Ça ne lui ressemblait pas du tout. L'adolescent était sérieux. La plupart des gens le prenaient pour un voyou ou un mendiant, mais il avait le sens des responsabilités. Il avait promis à Peckhum une unité multitâche, et il savait à quel point celle-ci était importante pour la station. D'habitude, quand il faisait une promesse, il la tenait.

Le vieil homme ne mit pas longtemps à se décider. Il laissa un vidéo-message, au cas où Zekk rentrerait avant lui, puis il sortit de son appartement et se dirigea vers le Palais.

— Je suis content de vous voir ! s'exclama Jacen en découvrant Peckhum sur le pas de la porte. Vous savez où est Zekk ?

— Non, répondit le vieil homme, sinistre. J'allais te poser la même question.

Jacen lui fit signe d'entrer.

— Installez-vous. Je vais aller chercher Jaina et les autres.

Lowie et sa sœur travaillaient toujours sur leur simulation holographique, tandis que Tenel Ka entretenait ses armes.

— Peckhum vient d'arriver, et il ne sait pas non plus où se trouve Zekk, débita Jacen d'un trait.

Lowie se leva et tendit la main à Jaina pour qu'elle en fasse autant. Ils revinrent tous ensemble vers la salle à manger et examinèrent une carte de la Cité Impériale. Tenel Ka désigna plusieurs blocs de gratte-ciel.

— Nous avons déjà fouillé toute cette zone, près de chez vous, dit-elle à Peckhum.

— Et nous avons aussi cherché dans les endroits où Zekk nous emmenait. Enfin, ceux dont on se souvenait...

Peckhum hocha la tête en se grattant le menton.

— Anakin et 6P0 ont même fouillé des coins dont il nous avait simplement parlé, mais ils n'ont rien trouvé. Nous espérions que vous pourriez nous suggérer autre chose, dit Jaina.

Lowie poussa un grognement.

— Maître Lowbacca souligne que notre manque de familiarité avec les zones, disons... les moins ragoûtantes... de la Cité Impériale, est un obstacle à nos recherches, traduisit DTM.

— Il a raison, approuva Jaina. Nous ne connaissons vraiment que les beaux quartiers.

— Et jusqu'à maintenant, nous n'étions pas certains que Zekk avait bien disparu, souligna Tenel Ka.

— Nous devrions en parler à la police, proposa Jacen.

Peckhum leva les yeux vers lui et répondit sèchement :

— Pas question ! Zekk n'apprécierait pas du tout.

— Mais il faut pourtant le retrouver ! s'écria Jaina, les yeux pleins de larmes.

— Je sais, dit le vieil homme, mais Zekk a déjà eu des ennuis avec la police, et il n'aimerait pas qu'on la mêle à cette histoire. Mais ne vous inquiétez pas, je connais pas mal d'endroits que vous n'avez pas encore dû fouiller.

— Je suppose qu'on n'a pas le choix, soupira Jacen, le cœur gros.

— Zekk est un vrai dur, lui rappela Peckhum avec un optimisme forcé. Il a déjà traversé beaucoup d'épreuves, et il sait se débrouiller seul. Je suis sûr qu'il va bien.

# CHAPITRE XIV

Dans sa nouvelle chambre de l'Académie de l'Ombre, Zekk s'éveilla en pleine forme et de très bonne humeur. Pour recharger ses batteries, il avait dormi profondément.

Un instant, il se demanda si Brakiss n'avait pas drogué sa nourriture. De toute façon, peu importait : jamais il ne s'était senti si plein d'énergie.

L'adolescent tenta de bloquer ses pensées positives, d'éprouver un peu de colère à l'idée d'avoir été kidnappé. Mais on le traitait ici avec plus de respect qu'on ne lui en avait jamais témoigné. Déjà, il ne se sentait plus vraiment prisonnier ; il avait plutôt l'impression d'être un invité.

Après une longue douche chaude, il se prépara sans hâte. Brakiss attendrait ; ça lui ferait les pieds. Après tout, invité ou non, il n'avait pas demandé à venir.

Zekk se faisait du souci pour Peckhum. Son vieil ami était sans doute fou d'inquiétude.

Jacen et Jaina devaient avoir sonné l'alarme au sujet de sa disparition. Mais Brakiss avait sûrement pris ses précautions pour se mettre à l'abri des réactions de la Nouvelle République.

Le mieux à faire était de prendre son mal en patience jusqu'à ce qu'il trouve un moyen de s'échapper.

Pendant qu'il se lavait, quelqu'un avait emporté ses vêtements sales et les avait remplacés par une combinaison et une armure de cuir noir à sa taille. Zekk enfila la tenue à contrecœur, mais il dut reconnaître qu'elle lui allait à la perfection.

Il tenta d'ouvrir la porte. À sa grande surprise, il y parvint.

Brakiss l'attendait dans le couloir, comme d'habitude, vêtu de grandes robes argentées de plus bel effet.

— Ah, mon jeune ami, dit-il avec un sourire satisfait. Es-tu prêt à commencer l'entraînement ?

— Pas vraiment, grommela Zekk, mais je suppose que ça n'a aucune importance.

— Bien sûr que si. Ça signifie que je ne t'ai pas bien expliqué ce que je peux faire pour toi. Mais si tu veux m'écouter, je pourrai peut-être te convaincre.

— Et dans le cas contraire ? demanda Zekk.

Brakiss haussa les épaules.

— Alors, j'aurai échoué. Que puis-je dire de plus ?

Zekk n'osa pas insister, mais il craignait que le

Second Imperium se débarrasse purement et simplement de lui.

— Viens dans mon bureau, dit Brakiss en le précédant dans le long couloir.

Des commandos étaient placés devant chaque porte, prêts à voler au secours de leur maître en cas de problème. L'adolescent eut un petit sourire. Comme s'il pouvait représenter un danger pour un homme si puissant !

Les appartements privés de Brakiss semblaient aussi sombres que l'espace. Leurs murs en verracier transparent étaient ornés de reproductions d'événements cataclysmiques : des explosions d'astéroïdes ou des supernovæ. Zekk écarquilla les yeux. Ce n'était pas la vision de l'univers que présentaient les kiosques pour touristes de Coruscant !

— Assieds-toi, ordonna Brakiss.

Zekk réalisa que toute résistance serait vaine. Il décida d'économiser ses forces pour plus tard.

Brakiss s'installa derrière son bureau, plongea la main dans un tiroir et en sortit un petit cylindre. Plaçant ses mains sur les deux extrémités, il les dévissa. Une petite flamme bleu-vert jaillit et sa lumière se refléta sur les murs de verracier.

— Que faites-vous ? demanda Zekk, intrigué.

Brakiss posa le cylindre sur son bureau.

— Manipuler le feu est très simple, c'est une des premières choses qu'apprennent les Jedi. Regarde.

Il plia un doigt et son regard se fit lointain. La petite flamme dansa comme si elle était vivante. Elle grandit, rétrécit, s'étira, se contorsionna, se transforma en sphère.

— Dès que tu maîtriseras les bases, tu pourras passer à des exercices plus amusants.

Brakiss modela la flamme pour qu'elle ressemble à un visage, puis à un dragon à la gueule béante.

Zekk l'observait, fasciné. Il se demanda si Jacen et Jaina étaient capables d'en faire autant.

Brakiss relâcha son effort et la flamme reprit son aspect initial.

— A ton tour, maintenant. Concentre-toi. Sens le feu couler comme de l'eau, comme de la peinture. Utilise les *doigts* de ton esprit pour en tirer des formes différentes...

Zekk allait hocher la tête, mais il se reprit et fronça les sourcils.

— Pourquoi coopérer ? Je ne dois rien au Second Imperium, à l'Académie de l'Ombre et à vous.

Brakiss sourit.

— Oh, mais ce n'est pas pour moi que tu dois agir, ni pour une institution dont tu ne sais rien. Tu dois le faire pour toi. N'as-tu jamais souhaité développer tes talents ? Tu possèdes un fort potentiel. Pourquoi ne pas en tirer parti ? Ton existence n'a pas été rose jusqu'ici. Même si tu choisis de retourner à ton ancien mode de vie, les choses seront beaucoup plus faciles avec l'aide de la Force.

« Tu es très indépendant, je le vois. C'est exactement ce qu'il nous faut — des gens capables de prendre des décisions et de réussir même si leurs faux amis s'attendent à ce qu'ils échouent. Nous t'offrons une chance unique. Si elle ne t'intéresse pas, tu auras échoué avant même de commencer.

— Très bien, je vais essayer. Mais ne vous attendez pas à un miracle, dit Zekk, piqué au vif.

Il plissa les yeux et se concentra sur la flamme. Ne sachant pas comment s'y prendre, il essaya plusieurs manières. Il la regarda directement, puis du coin de l'œil. L'imaginant en train de bouger, il se représenta les *doigts* de son esprit et les vit la modeler.

Sans qu'il sache pourquoi, la flamme ondula.

— Pas mal, l'encouragea Brakiss. Essaie encore.

Zekk refit la même démarche mentale, et réussit au prix de moins d'efforts. La flamme s'inclina, bondit et se tendit dans la direction opposée.

— J'y suis arrivé !

Brakiss tendit la main et referma le cylindre.

Zekk fut très déçu.

— Attendez ! Je veux essayer encore une fois.

— Non. Il faut ménager tes forces. Accompagne-moi jusqu'au hangar. Je veux te montrer autre chose.

Zekk se passa la langue sur les lèvres. Il suivit Brakiss en tentant de réprimer son impatience. Le Jedi avait piqué à vif sa curiosité.

À l'intérieur du hangar, Qorl et un régiment de commandos déchargeaient la cargaison dérobée au cargo rebelle *Adamantin*. Zekk ouvrit de grands yeux en découvrant les nombreux vaisseaux rangés là.

— J'aimerais pouvoir te montrer le *Chasseur d'Ombre*, notre plus belle réussite, mais Luke Skywalker est parti avec lorsqu'il a fait irruption ici pour enlever trois de nos étudiants.

Zekk fronça les sourcils. Il faillit faire remarquer à Brakiss que c'était lui qui avait kidnappé Jacen,

Jaina et Lowbacca, mais il se mordit les lèvres et ne dit rien.

Dans la salle de contrôle, Tamith Kai observait les activités des commandos.

À côté d'elle se tenaient deux de ses alliés originaires de la planète Dathomir, Vilas et Garowyn.

Zekk sursauta en reconnaissant ses ravisseurs.

— Ne fais pas attention à eux, dit Brakiss avec un geste insouciant. Ils sont jaloux de l'attention que je te porte.

Zekk sentit une douce chaleur l'envahir. Il se demanda si le Jedi avait dit la vérité, ou s'il voulait lui faire croire qu'il était quelqu'un de spécial.

Un des commandos s'arrêta devant eux et salua.

— J'ai un rapport pour vous, monsieur, dit-il à Brakiss. Nous avons presque achevé les réparations de la tour supérieure. Elle devrait être opérationnelle d'ici deux jours.

— Bien, dit Brakiss, visiblement soulagé. ( Il se tourna vers Zekk et expliqua : ) J'ai du mal à croire qu'une navette rebelle soit maladroite au point de s'écraser sur l'Académie de l'Ombre ! Ces gens provoquent des catastrophes même quand ils ne le font pas exprès !

Qorl souleva une caisse. D'après les cratères de métal noirci et fondu qui entouraient le panneau de contrôle, Zekk comprit que les gardes avaient utilisé des blasters pour fracturer les cyberserrures.

Le générateur d'hyperdrive qu'il aperçut était long et cylindrique ; les gaz de tibanna condensés pulsaient dans des tubes translucides.

— Ce sont de nouveaux modèles, seigneur Brakiss, dit le vieux pilote. Nous pourrons nous en servir pour alimenter nos systèmes d'armement ou convertir nos chasseurs en vaisseaux d'attaque, comme le mien.

Brakiss hocha la tête.

— C'est à notre chef de prendre cette décision, mais il sera certainement ravi de cette amélioration de nos capacités militaires. Faites très attention à ces composants. Veillez à ce que personne ne les endommage. Nous ne pouvons pas nous permettre de gaspillage.

Qorl acquiesça et se remit au travail.

— Tu comprends, Zekk, dit Brakiss, l'air soucieux, notre mouvement est encore minoritaire, mais nous savons que nous avons raison. Nous sommes obligés de nous battre contre la Nouvelle République qui veut absolument récrire l'Histoire et nous imposer ses manières chaotiques.

« Nous savons être les seuls capables de mettre un terme à l'anarchie galactique. Pour le moment, chacun fait comme bon lui semble, envahissant le territoire de ses voisins ou perturbant l'ordre public sans se soucier du gouvernement en place.

Zekk plaqua les mains sur ses hanches.

— Et la liberté, alors ? J'aime bien pouvoir faire ce qui me plaît.

— Nous aussi, nous croyons aux vertus de la liberté, se hâta de répondre Brakiss. Mais trop, c'est trop. Les différentes races de la galaxie ont besoin d'un cadre bien défini, de façon à pouvoir faire leurs affaires sans perturber celles des autres.

« Toi, tu sais ce que tu fais, Zekk. Mais pense à tous les gens qui n'ont aucun objectif et que les changements récents ont désorientés... Pense à ceux qui n'ont nulle part où aller, pas de rêves ni d'idéaux... et personne pour leur dire quoi faire. Tu peux nous aider à changer tout ça.

Zekk aurait voulu démonter l'argumentation de Brakiss point par point, mais il ne trouvait rien à dire. Il se mordit les lèvres. Malgré tout, il refusait d'avoir l'air d'accord avec le Jedi Obscur.

— Pas la peine de me répondre tout de suite, dit patiemment Brakiss. Je vais te ramener à ta chambre pour que tu puisses réfléchir au calme. ( Il sortit le cylindre de sa poche et le tendit au garçon. ) Tiens. Tu pourras t'amuser avec, si tu veux.

# CHAPITRE XV

Tandis que Peckhum énumérait les endroits où Zekk avait pu se rendre, Jaina écarta les bras en signe d'impuissance. Il leur faudrait des mois, voire des années, pour explorer le monde souterrain de Coruscant. Si leur ami ne voulait pas qu'ils le retrouvent, jamais ils ne le reverraient.

— Attendez ! Essayez-vous de nous dire que vous ne nous accompagnerez pas ?

Peckhum secoua la tête.

— L'attaque impériale a bouleversé la rotation prévue ; je dois retourner sur la station dès demain. Le pire, c'est que je ne suis pas sûr de pouvoir la faire fonctionner. Elle a un besoin urgent de réparations ; même mon central de communication est hors service. Je ne vois pas à quoi je vais servir là-haut. Si j'avais au moins l'unité multitâche que Zekk m'a promise !

— Je suis sûre qu'il aurait tenu parole s'il l'avait pu ! s'indigna Jaina.

Surpris par sa véhémence, Peckhum lui jeta un regard amusé.

— Oh, j'en suis également convaincu. Mais ça ne résout pas mon problème.

Lowie poussa quelques grognements.

— Quelle bonne idée ! s'exclama DTM. Et pour une fois, ça n'a même pas l'air dangereux !

Interloqués, les trois autres jeunes Jedi se tournèrent vers le Wookie.

— De quoi parles-tu ? demanda Jaina au droïd.

— Maître Lowbacca suggère que lui, vous et son oncle Chewbacca accompagniez Peckhum à la station pour effectuer des réparations temporaires.

— C'est très gentil, intervint le vieil homme, mais je ne vois pas ce qu'ils pourront faire en l'absence d'une unité multitâche neuve.

— Je vous parie que Jaina trouvera quelque chose, dit Jacen. Elle réussirait à tout remettre en état avec sa seule imagination.

— Il a raison, admit sa sœur avec un enthousiasme plus modéré. Nous devrions pouvoir faire tenir tout ça ensemble, au moins jusqu'au retour de Zekk. Alors, on attend quoi ?

— Mais pourquoi me rendriez-vous un tel service ? s'étonna Peckhum.

— Parce que vous en avez besoin, répondit Jaina en rosissant. ( Elle ne voulait pas admettre que c'était à cause de Zekk et de l'amitié qu'il portait au vieil homme. ) Et puis, nous avons des difficultés à établir les trajectoires de certains débris. Nous aurons sans doute une meilleure perspective depuis la station. Pendant ce temps, Jacen, Tenel Ka, Anakin et 6P0 continueront à chercher Zekk dans les endroits que vous nous avez indiqués.

— Très bien. Me voilà convaincu, mais que vont dire vos parents ?

Lowie eut un bref grognement.

— Maître Lowbacca est certain qu'il arrivera à persuader son oncle de vous accompagner, traduisit DTM.

— Parfait. Et moi, je me charge de mes parents, dit Jaina en se frottant les mains.


Jacen ferma les yeux, se concentra et chercha un signe du passage de Zekk dans le bâtiment abandonné. Mais il ne capta que l'écho des pas de Tenel Ka, qui arpentait le couloir.

Il porta son communicateur à ses lèvres.

— Anakin ? On se dirige vers la section sept de notre carte. On n'a encore rien trouvé.

— D'accord, répondit son jeune frère.

La voix de 6P0 s'éleva.

— J'espère que nous n'allons pas tarder à localiser maître Zekk, dit-il. Je préférerais de loin être à la maison plutôt que dans cet endroit dégoûtant !

— Tu n'es pas le seul, soupira Jacen avant de couper la communication.

Il emboîta le pas à Tenel Ka. Ensemble, les deux jeunes gens explorèrent le soixante-dix-neuvième étage du bâtiment en ruine. Le sol était jonché de vieux cartons, de canettes vides, de débris de transpacier et d'autres objets en trop mauvais état pour valoir la peine qu'on les récupère.

Une bise glaciale s'engouffrait par les lézardes des

murs, sans parvenir à dissiper l'odeur de pourriture qui planait dans l'air.

En continuant à marcher, Jacen ferma les yeux et se concentra de nouveau. Soudain, quelque chose de tiède lui toucha le bras. Il sursauta et regarda autour de lui. La main de Tenel Ka était posée sur la manche de sa combinaison de vol.

— Tu aurais pu trébucher là-dessus, dit la jeune fille en désignant une pile de gravats.

— Merci, répondit Jacen avec un sourire charmeur. C'est très gentil de te soucier de ma santé.

Tenel Ka cligna des yeux.

— Il est plus facile de prévenir un accident que de s'occuper d'un compagnon blessé, fit-elle observer sans saisir la perche que lui tendait Jacen.

Ce n'était pas du tout la réponse qu'espérait l'adolescent.

— Bon, alors je suis content que tu n'aies pas eu à t'étirer un muscle, dit-il en flanquant un coup de pied dans les gravats.

Un petit nuage de poussière s'éleva.

— Oh, je peux te soulever d'une seule main en cas de besoin, répliqua Tenel Ka d'un air détaché. Mais je n'en ai pas vu l'utilité.

Jacen se demanda pourquoi il réussissait toujours à se couvrir de ridicule devant elle. Il grimaça. S'il s'était foulé une cheville, il aurait au moins eu le réconfort de sentir les bras de sa compagne autour de lui...

Il secoua la tête pour chasser cette image de son esprit. Tenel Ka aurait été stupéfaite d'apprendre comment il pensait à elle ces derniers temps.

Mais pour le moment, il devait se concentrer sur leurs recherches.

Les deux jeunes gens poursuivirent la fouille méthodique de l'immeuble pendant qu'Anakin et Z-6P0 faisaient de même dans un bâtiment voisin. Le jeune frère de Jacen était ravi de cette mission, qui lui permettait d'échapper aux leçons du droïd de protocole.

Comme les heures défilaient sans rien apporter de nouveau, l'humeur de Jacen s'assombrit. Plus ils passaient de temps dans cet endroit désolé, plus l'adolescent sentait croître son malaise. Un sentiment d'urgence le torturait. Zekk avait disparu depuis plusieurs jours. Ils devaient le retrouver très vite, ou il serait trop tard.

Jacen n'aurait pas su expliquer cette impression, mais elle s'imposait à lui.

Ils fouillèrent des dizaines de bâtiments et empruntèrent autant de passerelles branlantes, mais ils ne découvrirent aucun indice. En revanche, plus ils descendaient, plus les signes de vie se multipliaient autour d'eux, des créatures se tapissant dans l'ombre pour les observer.

Quand les couloirs devenaient trop étroits pour y marcher de front, Jacen et Tenel Ka prenaient tour à tour la tête. Alors que la jeune fille précédait son compagnon dans un escalier, elle manqua trébucher, se reprit et continua de descendre.

— Attention à la marche cassée, jeta-t-elle par-dessus son épaule.

Une forme sombre jaillit derrière elle en poussant un cri strident et en battant des ailes. Instinctivement, Tenel Ka fit volte-face, lâcha sa lampe et frappa. Mais plus elle se débattait, plus la créature s'agitait autour de sa tête.

— Ne bouge plus ! s'exclama Jacen en se dirigeant vers elle. Elle doit avoir peur de la lumière.

Bien que cela aille à l'encontre de tous ses instincts de guerrière, la jeune fille s'immobilisa. Jacen se concentra et envoya des pensées apaisantes à la créature qui s'était prise dans les longs cheveux roux de Tenel Ka.

Peu à peu, la chauve-souris se calma. Il tendit la main vers elle, et, très doucement, dégagea ses griffes des tresses de Tenel Ka. Puis il la lâcha, ramassa la lampe de sa compagne et la lui tendit.

— Ça va ?

Tenel Ka hocha brièvement la tête.

*Elle doit être embarrassée de n'avoir pas pu s'en sortir sans mon aide*, songea Jacen.

— Tu sais pourquoi les banthas ont traversé la Mer des Dunes ? demanda-t-il pour détendre l'atmosphère.

— Non, répondit Tenel Ka.

— Pour arriver de l'autre côté ! lança Jacen en gloussant.

— Ah, ah, ah, lâcha la jeune fille sans un sourire.

Elle se remit en marche avec son indifférence habituelle. Jacen admirait sa confiance en elle et sa solidité, mais il aurait souhaité que le sauvetage l'impressionne un peu plus.

À la passerelle suivante, ce fut son tour de prendre la tête. L'étroit passage jonché de gravats et de morceaux de verracier craqua dès qu'il posa un pied dessus.

— Sois prudent, dit Tenel Ka derrière lui.

— Nous devons approcher de la vieille navette accidentée, fit remarquer Jacen. Je suis à peu près sûr que...

La passerelle vacilla ; le cœur du jeune garçon bondit dans sa poitrine quand les poutres de métal cédèrent avec un grincement sinistre. Il se rattrapa de justesse à la rambarde rouillée.

— Ne bouge plus ! cria Tenel Ka.

Mais il était trop tard. Les rivets sautèrent, le verracier se déchira. Coupée en deux, la passerelle s'effondra par le milieu. Comme au ralenti, Jacen vit de gros bouts de métal disparaître vers le bas tandis que le sol, sous ses pieds, s'inclinait abruptement.

Il se sentit glisser vers le précipice et s'accrocha de toutes ses forces à la rambarde, mais le métal rongé par les ans s'effrita entre ses mains. Il poussa un cri et chercha du regard quelque chose à quoi se retenir.

Un bras puissant s'enroula autour de sa taille et le projeta en avant. Sans que Jacen réalise vraiment ce qui se passait, la corde de fibres de Tenel Ka les déposa tous les deux sur un escalier métallique, de l'autre côté de la passerelle.

Avec un grincement de protestation, les poutres restantes cédèrent et furent englouties par l'obscurité.

Les deux jeunes Jedi déglutirent péniblement. Pendant quelques secondes, aucun d'eux n'osa rompre le silence.

— Merci. On dirait qu'on fait une bonne équipe, tous les deux. C'est vrai, on passe notre temps à se sauver la vie, lança Jacen.

Sans attendre de réponse, il se détourna et descendit vers l'entrée du bâtiment. Dès qu'il y eut pénétré, il sentit ses jambes flageoler sous lui et dut s'asseoir.

Tenel Ka se laissa tomber à côté de lui. Ses mains tremblaient et une expression étrange se lisait sur son visage.

— J'ai eu peur de perdre un ami, dit-elle gravement.

*C'est bien ce qui a failli t'arriver*, songea Jacen. Mais il s'efforça de prendre un ton désinvolte pour répondre :

— Hé, on ne se débarrasse pas de moi aussi facilement !

— C'est un fait.

Ils arrivèrent près de la navette accidentée moins de dix minutes plus tard.

— Zekk est passé par ici, annonça Jacen.

— Quelque chose cloche, l'interrompit Tenel Ka. ( Elle fit un pas en avant. ) C'est mon tour de passer la première. Tu peux attendre ici, si tu veux.

— Tu rigoles ? Que feras-tu si tu as besoin que je vienne à ta rescousse ?

— Ah, dit la jeune fille en haussant un sourcil. Ah... ah.

Elle entra dans la navette et cria :

— Tout va bien. Il n'y a personne.

Jacen la suivit. Même si le vaisseau était inoccupé, quelqu'un était venu récemment et s'était emparé de tous les objets réutilisables. Des entrelacs de fils électriques jaillissaient du tableau de bord poussiéreux. Plusieurs panneaux d'accès béaient, révélant des espaces vides là où se trouvaient autrefois les équipements de la navette.

— On dirait que Zekk est passé par ici, fit remarquer Jacen. C'est plutôt bon signe.

— Peut-être, dit Tenel Ka en caressant du doigt le symbole gravé sur un des panneaux d'accès. Ou peut-être pas...

Jacen regarda les marques grossières qui formaient une croix à l'intérieur d'un triangle : le signe de reconnaissance des membres de Génération Perdue. Malgré lui, il frissonna.

— Eh bien, nous savons où continuer nos recherches.

# CHAPITRE XVI

Peckhum décolla et guida le *Bâton de Foudre* hors de son hangar. La Nouvelle République lui aurait fourni un moyen de transport s'il l'avait réclamé, mais le vieil homme préférait piloter son propre vaisseau qui, dans ses meilleurs jours, se révélait moins fiable encore que le *Faucon Millenium*. Circonstance aggravante, jamais il n'avait transporté autant de passagers.

Lowie s'était glissé tant bien que mal à côté de Jaina, dans le compartiment arrière. Il avait réussi à plier assez les jambes pour tenir dans un siège prévu pour quelqu'un faisant la moitié de sa taille.

S'il avait pu avoir son T-23... Mais le vaisseau offert par son oncle le jour de son entrée à l'Académie Jedi était resté sur Yavin 4.

Peckhum avait débarrassé le cockpit du *Bâton de Foudre* du fatras qu'il y entreposait habituellement.

Ainsi Chewbacca avait-il pu s'installer dans le siège du copilote. Le grand Wookie avait emporté une collection d'outils et de gadgets semblable à celle qu'il utilisait pour bricoler sur le *Faucon* et le maintenir ( tout juste ) en état de vol.

Quand la tour de contrôle eut confirmé leur trajectoire, Peckhum accéléra, amorçant sa montée vers les nuages. Bientôt, les ténèbres de l'espace remplacèrent l'atmosphère scintillante de Coruscant.

Pendant que Peckhum manœuvrait pour se placer en orbite, Lowie se pencha sur la verrière. Ils arrivaient en vue de la station. Semblables à des lacs d'argent, les énormes miroirs reflétaient leur lumière sur les deux pôles de la planète.

Pour l'heure, la station était vide : suite à l'attaque impériale, tout le personnel avait été affecté à la sécurité. Mais les panneaux ne pouvaient rester longtemps sans surveillance. Peckhum devait s'en occuper, même s'il eût cent fois préféré chercher Zekk.

Le vieil homme se posa sur la piste d'atterrissage rouillée. Chewbacca et Lowie levèrent les yeux vers les miroirs solaires et poussèrent des grognements admiratifs. Larges de plusieurs kilomètres et épais de moins d'un millimètre, ces panneaux étaient reliés à la station par des dizaines de câbles.

Peckhum ouvrit le sas, qui portait encore l'emblème de l'Ancienne République. Tous les passagers se hâtèrent de descendre et d'étirer leurs muscles engourdis.

— Hum... Ça n'a pas l'air très accueillant, dit Jaina en regardant autour d'elle.

— D'après mon dictionnaire, le terme approprié

serait plutôt « exigu », fit remarquer DTM. Vous savez, je maîtrise quelque *six* formes de communication...

Le plafond de métal, bas et sombre, était traversé de canaux d'aération et de fils électriques. Une bulle d'observation transparente abritant une seule chaise surplombait la planète.

Le système informatique poussif attendait en clignotant que Peckhum le réactive.

Fasciné par la vue, Lowie se pencha vers la sphère brillante de Coruscant. Des nuages masquaient la moitié de la planète où il faisait jour ; du côté nocturne, des milliards de points lumineux perçaient l'obscurité.

Ce n'était pas la première fois que le jeune Wookie contemplait une planète depuis l'espace. Mais jamais il n'avait ressenti une telle impression, comme s'il avait fait partie de l'univers tout en se tenant en retrait, devenant à la fois un acteur et un observateur. La perspective qu'on avait depuis la station faisait paraître la galaxie immense *et* minuscule.

— Ne reste pas là les bras ballants, Lowie, grogna Jaina. Nous avons du travail. Il faut remettre en état le système de communication.

Chewbacca acquiesça et flanqua une claque dans le dos de son neveu. Peckhum s'affairait déjà devant sa console, faisant un effort visible pour ne pas penser à Zekk.

— J'apprécie vraiment votre aide, dit-il, un pli soucieux lui barrant le front.

— Oh, ce n'est pas grand-chose, répondit Jaina en s'agenouillant devant un panneau de contrôle pour le dévisser. Lowie, tu t'y connais en ordinateurs. Donne-moi un coup de main.

— Oh, sans aucun doute, dit DTM. Maître Lowbacca est extrêmement doué pour l'informatique.

Le Wookie poussa un grognement.

— Évidemment qu'ils le savent déjà, s'indigna le droïd. Je le leur rappelais, c'est tout...

— Si vous pouviez vous occuper des transmissions, ça m'arrangerait, intervint Peckhum. Je reçois exclusivement de la friture.

Jaina fronça les sourcils.

— L'émetteur fonctionne bien, mais on dirait que les encodeurs vocaux ne font pas leur boulot.

La station était tellement exiguë, Jaina et Lowie si désireux de bien faire, que Chewbacca recula pour leur laisser un maximum de place. En fait, il s'amusait de voir ses deux protégés travailler aussi dur. Ils lui faisaient penser à Yan et à lui, quand ils étaient plus jeunes.

— Bon, dit Jaina ( se grattant la joue, elle y laissa une trace de graisse ), je pense qu'on devrait pouvoir remettre les communications en état d'ici ce soir. ( Elle leva les yeux vers Peckhum et sourit. ) Une réparation de fortune, bien entendu.

Le vieil homme haussa les épaules.

— Ce sera toujours mieux que rien. Si j'avais cette unité multitâche..., soupira-t-il tristement. Ça me préoccupe presque autant que ce qui est arrivé à Zekk.

— Je suis sûre qu'il va bien, mentit Jaina sur un ton qui se voulait rassurant.

Pendant que la jeune fille farfouillait parmi les câbles, Chewbacca grogna une suggestion, que

Lowie approuva avec enthousiasme. Comme l'heure du déjeuner approchait, les deux Wookies décidèrent de mettre au travail les synthétiseurs de nourriture. Ils avaient bon appétit, et salivèrent en songeant aux bons petits plats qui les attendaient sûrement.

— Maître Lowbacca ! s'indigna DTM. Vous ne pensez qu'à votre estomac !

Chewbacca gronda d'un air menaçant et le droïd baissa la voix pour soupirer :

— Décidément, les Wookies sont tous les mêmes !

# CHAPITRE XVII

Jacen s'était laissé distraire si souvent au cours de leur chasse à l'œuf, avec Zekk, qu'il aurait été incapable de retrouver son chemin dans le labyrinthe des niveaux inférieurs. Tenel Ka, en revanche, semblait parfaitement savoir où elle allait... ce qui ne surprit pas son compagnon.

Alors qu'ils descendaient vers le niveau du sol, l'obscurité se fit oppressante. Les murs sombres étaient souillés de taches décolorées qui ressemblaient à du sang. Partout où ils posaient le regard, le symbole de la croix et du triangle paraissait les narguer.

— Je crois que nous avons trouvé le territoire de Génération Perdue, dit Tenel Ka, tous les sens en alerte.

Jacen déglutit avec peine.

— Espérons qu'on ne tardera pas à mettre la main

sur Zekk. Je n'aimerais pas que nos hôtes s'offusquent de notre présence, surtout s'ils sont encore de mauvaise humeur.

— Je soupçonne qu'ils sont *toujours* de mauvaise humeur, répondit Tenel Ka sans la moindre intention humoristique. Et ils doivent nous en vouloir de notre évasion.

— Ils ont peut-être capturé Zekk. Nous devons le sauver. Ce Norys avait vraiment l'air d'un sale type.

Une blatte-araignée rampait sur le mur. En d'autres circonstances, Jacen se serait précipité afin de l'observer. Mais, pour le moment, il n'aspirait qu'à rentrer chez lui.

Tenel Ka marchait fièrement, le menton levé. Jacen aurait aimé avoir un sabrolaser comme celui qu'il avait utilisé à l'Académie de l'Ombre. Il savait que les armes Jedi n'étaient pas des jouets, mais il n'avait aucune intention de s'amuser avec : juste de se défendre en cas de besoin.

Il approcha de Tenel Ka et s'efforça de fixer les tresses rousses qui dansaient devant son nez. Peut-être qu'une bonne blague le distrairait un peu.

— Hé, tu connais la différence entre un TR-TT et un commando ?

— Évidemment, dit la jeune fille, lui jetant un regard sévère par-dessus son épaule.

Jacen soupira.

— Mais non, c'est une blague. Je recommence : quelle est la différence entre un TR-TT et un commando ?

— Je dois répondre que je ne sais pas, c'est ça ?

— Exactement.

— Je ne sais pas.

— Le premier est un marcheur impérial, le second un Impérial qui marche.

Tenel Ka hocha la tête.

— Très drôle. Et maintenant, poursuivons nos recherches. Zekk est ton ami, tu le connais mieux que moi. Concentre-toi et vois si tes pouvoirs nous permettent de le repérer.

Jacen acquiesça. Il ne pensait pas être capable de localiser une personne en particulier, mais une impression, même vague, pourrait les mettre sur la voie.

Tenel Ka et lui marchaient au hasard depuis des heures...

Il ferma les yeux et se concentra. Aussitôt, il sentit comme un picotement qui le fit penser à son ami aux cheveux noirs. Il tendit le doigt avant de se donner le temps de réfléchir.

Oncle Luke leur disait toujours de se fier à leur intuition.

Le vieux bâtiment semblait vide ; un silence oppressant pesait sur les deux jeunes gens.

Jacen sentait que des yeux invisibles les observaient. Il avait suffisamment confiance en ses pouvoirs pour jurer que son imagination ne lui jouait pas un tour.

— Je crois que nous approchons, annonça Tenel Ka.

Ils entendirent des voix devant eux. Jacen reconnut celle de leur ami, mais il ne put comprendre ce qu'il disait.

— On dirait Zekk ! chuchota-t-il, tout excité. Nous l'avons trouvé !

Soulagé, il pressa le pas.

— Sois prudent, souffla Tenel Ka alors qu'ils débouchaient dans une pièce remplie de meubles délabrés.

Les poutres étaient à moitié effondrées, les murs garnis de panneaux lumineux qui surplombaient des portes fermées ou bloquées par des caisses. Un jeune homme aux yeux d'émeraude se tenait au milieu de la salle.

Jacen eut du mal à reconnaître Zekk. Ses cheveux presque noirs étaient retenus par un bandeau de cuir. Ses vêtements propres et sombres ressemblaient à un uniforme beaucoup plus « classe » que le costume qu'il avait revêtu pour le banquet.

Une douzaine de jeunes gens étaient assis sur des chaises ou sur des coussins usés. Tous avaient entre quinze et vingt ans. La plupart étaient des garçons, mais les quelques filles semblaient tout à fait capables de démembrer Jacen aussi bien que l'eût fait un Wookie.

Génération Perdue.

— Hé, Zekk ! s'écria Jacen. Où étais-tu ? On s'inquiétait pour toi !

L'adolescent sursauta en apercevant son ami. Un instant, une lueur joyeuse passa dans ses yeux, mais il se reprit très vite et fronça les sourcils. Il semblait avoir vieilli de dix ans depuis sa disparition.

— Jacen, ce n'est pas le moment, dit-il sur le ton de la réprimande.

Un garçon large d'épaules aux petits yeux rapprochés et aux sourcils arqués se leva et gronda :

— Je ne me souviens pas de vous avoir invités.

Jacen reconnut Norys. Zekk fit un geste apaisant.

— Laisse-moi m'en occuper. ( Rouge de colère,

il se tourna vers son ami. ) Tu n'aurais pas pu me ficher la paix quelques minutes de plus ?

Stupéfait, Jacen se passa une main dans les cheveux en cherchant quoi répondre.

— Va-t'en, gronda Zekk. Va-t'en ! Tu vas tout faire rater !

Les autres membres de Génération Perdue se levèrent et s'approchèrent du fils de Yan Solo comme une meute de loups fondant sur sa proie. Jacen déglutit ; Tenel Ka posa une main sur son épaule.

— Zekk, c'est nous ! insista Jacen. Nous n'allons rien faire rater ! Nous sommes tes amis !

Derrière lui, une porte s'ouvrit à toute volée.

— Il ment, seigneur Zekk, dit une voix de femme. Vous le savez, à présent.

Jacen et Tenel Ka firent volte-face et découvrirent la silhouette menaçante d'une Sœur de la Nuit, avec ses cheveux d'ébène et ses yeux violets incandescents. Deux personnes l'encadraient : un jeune homme aux cheveux noirs et une petite femme qui se tenait très droite.

— Tamith Kai, lâcha Jacen. Toujours aussi aimable...

— Et toujours aussi bien accompagnée, dit Tenel Ka en reconnaissant Garowyn et Vilas. ( Un sourire de prédateur se peignit sur son visage habituellement sérieux. ) Comment va votre genou ?

Tamith Kai pinça les lèvres. Elle détestait qu'on lui rappelle l'humiliation infligée par la guerrière lors de l'évasion des jeunes Jedi de l'Académie de l'Ombre.

— Espèces de morveux, ricana-t-elle. Vous ne saurez jamais où vous arrêter.

— Et vous ne comprendrez jamais qu'il ne faut pas se mettre en travers de notre chemin, répondit Jacen. Zekk, que fais-tu avec ces clowns ? Quel genre de mensonges t'ont-ils fait gober ?

Indécis, le jeune homme cligna des yeux. Puis il se reprit.

— Ils nous offrent à tous une occasion unique, dit-il avec force.

— Quelle occasion ? Celle de vous faire rouler ? ricana Jacen.

— Ils vont nous ramener à l'Académie de l'Ombre et nous entraîner, intervint Norys, le chef du gang. Nous aussi, nous serons puissants.

— Mais tout le monde n'a pas le potentiel d'un Jedi, protesta Jacen.

Il voulait continuer à faire parler Zekk jusqu'à ce que Tenel Ka ou lui trouve que faire ensuite.

— Moi, si, répondit Zekk avec fierté. Et vous vous en seriez aperçus si vous aviez pris la peine de me tester. Quant à ceux qui n'ont pas de dispositions pour manipuler la Force, ils rejoindront l'armée. On leur donnera des responsabilités et une chance de faire carrière...

— Oh, Zekk, dit tristement Jacen, ce sont des histoires ! Ils veulent juste que tu baisses ta garde et...

— Faux ! coupa Tamith Kai. Nous tiendrons nos promesses. Tous se verront offrir les mêmes chances, qu'importe leur statut social dans les mondes rebelles. Le Second Imperium ne juge pas les gens sur ce qu'ils sont, mais uniquement sur ce qu'ils font.

— Zekk, cria Jacen, comment peux-tu leur faire confiance ? Ils nous avaient kidnappés, Jaina et moi !

— C'était une erreur, répliqua Tamith Kai, ses yeux violets lançant des éclairs. Les nobles comme vous ne sont pas plus dignes de devenir des Jedi Obscurs que les autres.

— Zekk, chuchota Jacen en faisant un pas vers son ami, c'est ta dernière chance. Crois-moi, tu es en grand danger. Il faut t'échapper tout de suite !

Le jeune homme lui lança un regard où la pitié et le désir d'être compris se mêlaient à une profonde tristesse.

— Tu ne peux pas comprendre, Jacen, dit-il doucement. Tu as toujours eu tout ce que tu désirais. Jamais tu n'as été dans le besoin. Ces gens m'offrent quelque chose que personne d'autre ne m'aurait donné : une chance de devenir quelqu'un.

— Ce ne doit pas être une grande chance, si ça vient d'eux, grommela Jacen.

Tenel Ka porta les mains à sa ceinture, prête à en tirer une arme. Un par un, les membres de Génération Perdue vinrent se placer autour de Zekk. Ils semblaient hypnotisés et Jacen se demanda si Tamith Kai ou un de ses acolytes n'utilisaient pas la Force pour les rendre plus perméables aux suggestions.

— Jacen, murmura Tenel Ka en remuant à peine les lèvres, nous devons partir pendant qu'il en est encore temps. Il faut que quelqu'un aille chercher de l'aide.

Jacen se prépara à faire demi-tour. Il activa son communicateur pour tenter de joindre Anakin et 6P0, mais avant que Tenel Ka et lui puissent sprinter vers la porte, Vilas dégaina son blaster.

— Cette fois, nous ne pouvons pas vous laisser partir. Les enjeux sont trop importants.

Les deux jeunes gens n'avaient pas parcouru cinq mètres quand des décharges paralysantes les cueillirent dans le dos, les envoyant rouler à terre, inconscients.

# CHAPITRE XVIII

Brakiss ferma derrière lui la porte de son bureau et modifia le code d'accès pour être certain que personne ne viendrait le déranger. Même Tamith Kai ne devait pas surprendre ses conversations avec le nouveau chef de l'Empire.

Les murs de son bureau étaient pour lui une source constante d'inspiration. Les novæ et autres planètes en flammes lui rappelaient l'universelle furie du monde. En se concentrant, il pouvait puiser dans cette incroyable énergie négative et l'utiliser pour ouvrir la voie au Second Imperium.

Il baissa l'intensité des panneaux lumineux et attendit le contact, les yeux rivés sur son chronomètre. Parler avec son maître le remplissait toujours d'extase et de terreur, l'obligeant à employer une technique de relaxation Jedi pour calmer les battements désordonnés de son cœur.

Le chef suprême du Second Imperium faisait face à des responsabilités écrasantes. Il était fréquemment en retard sur son planning, mais jamais Brakiss n'aurait osé lui en faire la remarque. Le maître était le maître, et lui un esclave qui connaissait sa place dans l'univers.

Alors que la Nouvelle République comptait sur ses précieux Chevaliers Jedi pour la défendre, le Second Imperium aurait bientôt une arme secrète : un groupe de Jedi Obscurs capables d'utiliser le Côté Obscur de la Force.

Hélas, les Jedi Obscurs étaient dangereux et instables. Pour se protéger, le chef avait pris toutes les précautions nécessaires. L'Académie de l'Ombre était truffée d'explosifs. Si elle devenait une menace, il n'aurait plus qu'à la faire sauter pour mettre un terme à l'expérience.

Jusque-là, Brakiss avait engrangé les succès et son maître n'avait aucune raison de se plaindre de lui.

Les générateurs holographiques s'activèrent avec un bourdonnement, tirant Brakiss de sa rêverie. L'air scintilla devant lui et une gigantesque image transmise depuis quelque coin retiré des Mondes du Noyau apparut sous ses yeux. Des étincelles crépitaient autour de la capuche qui dissimulait les traits du maître.

Instinctivement, Brakiss baissa les yeux et s'inclina. Après avoir sacrifié au rituel de salutation, il put enfin contempler le visage du maître du Second Imperium.

La peau brûlée, les lèvres desséchées, des yeux jaunes enfoncés dans leurs orbites, c'était l'Empereur Palpatine en personne !

Malgré les faiblesses de la transmission holographique, aucun doute n'était permis. Une lueur d'adoration passa dans les yeux de Brakiss.

Cet homme ferait trembler tous les systèmes solaires jusqu'à ce qu'ils réapprennent à vivre dans le respect et la gloire.

Le reste de la galaxie le croyait mort depuis longtemps : d'abord dans l'explosion de la seconde Étoile Noire, puis quand le dernier de ses clones avait été détruit, six ans plus tard. Mais l'Empereur avait berné tout le monde. Brakiss aurait pu en témoigner, car il s'entretenait régulièrement avec lui. Il ne savait pas à quelle illusion son maître avait recouru pour qu'on le croie mort, mais la Force permettait de faire bien des choses...

Du moins selon ce que lui avait enseigné Maître Skywalker.

— Alors, jeune insignifiant, croassa l'Empereur, quelles sont les nouvelles ? Bonnes, j'espère. J'en ai plus qu'assez des échecs. Je suis impatient d'entamer mon nouveau règne.

Brakiss s'inclina à nouveau.

— Mon maître, j'ai de bonnes nouvelles pour vous. Comme vous l'avez ordonné, nous nous sommes emparés des générateurs d'hyperdrive et des lasers que transportait le vaisseau rebelle. Je suis sûr que votre glorieuse armée saura en faire bon usage.

— Oui, siffla Palpatine.

— Ici, à l'Académie de l'Ombre, votre commando de Jedi Obscurs devient plus puissant chaque jour. Je suis particulièrement fier des nouveaux élèves dénichés dans le monde souterrain de la Cité Impériale. Comme vous l'aviez prévu, personne ne remarquera leur disparition et nous pourrons les manipuler à votre guise.

— Oui ! Je t'avais bien dit qu'il serait plus facile de gagner à notre cause des gens sans perspective d'avenir. Et quel plaisir de les enlever au nez et à la barbe des Rebelles !

Brakiss hocha la tête.

— Nous leur offrons ce qui leur manque le plus et ils ne demandent qu'à le prendre. Évidemment, la plupart ne possèdent pas le potentiel, mais tous sont impatients de nous servir. Nous avons commencé à entraîner les non-Jedi pour en faire des commandos d'élite. Ils connaissent bien Coruscant et ils pourraient devenir des espions ou des saboteurs très efficaces.

L'image holographique sourit.

— Très bien, Brakiss. Tu as ma permission. Je t'autorise à vivre une journée de plus.

— Merci, mon maître.

— Mais ne me déçois pas, menaça l'Empereur. Je serais très mécontent de devoir faire sauter l'Académie de l'Ombre...

— Moi aussi, maître, répondit Brakiss en s'inclinant très bas.

La projection vacilla, puis disparut.

Brakiss tremblait des pieds à la tête, comme chaque fois qu'il venait de parler avec Palpatine. Épuisé, il se laissa tomber dans son fauteuil et entreprit de réviser ses plans pour éliminer tout risque d'erreur.

# CHAPITRE XIX

Le jeune Anakin Solo se tenait près de l'unité de communication, dans la salle à manger familiale. De longues et vaines recherches l'avaient épuisé, et il se faisait du souci pour son frère. Il regarda l'écran en espérant l'arrivée d'un message, mais il savait — non, il sentait — que ses espoirs seraient vains.

6P0 et lui étaient revenus depuis quelques heures après avoir fouillé tous les endroits de leur liste. Ils s'étaient donné une heure pour recevoir des nouvelles de Jacen et de Tenel Ka.

À présent, ils ne pouvaient plus attendre.

Anakin approcha du droïd doré, qui profitait d'un bref cycle de repos, et plongea ses yeux bleus dans les senseurs optiques jaunes.

— Réveille-toi, 6P0, dit-il en lui flanquant une tape sur l'épaule. Nous devons aller chercher de l'aide.

Le droïd sursauta.

— Ne me dites pas que j'ai oublié de me réveiller ! Nous étions d'accord pour deux cycles de veille supplémentaires avant de reprendre les recherches. Et vous avez un cours de...

— Quelque chose ne va pas, coupa Anakin. Je le sens. Jacen et Tenel Ka ne sont pas revenus.

— Si vous voulez mon avis...

— Non merci. Essaie plutôt de les joindre en utilisant ta radio intégrée.

— Je suis sûr qu'ils vont bien, mais si ça peut vous faire plaisir...

6P0 inclina la tête et resta immobile pendant quelques secondes.

— Alors ?

— Rien, maître Anakin, dit le droïd, l'air ennuyé. Ils ne répondent pas.

À cet instant, Leia Organa Solo entra dans la pièce. Elle sourit à son fils puis, voyant son air inquiet, fronça les sourcils.

— Anakin, ça ne va pas ?

Le jeune garçon se demanda s'il fallait lui parler. Après tout, elle n'avait pas voulu croire à la disparition de Zekk. Mais peut-être changerait-elle d'avis en apprenant que Jacen et Tenel Ka manquaient également à l'appel. Anakin lui résuma toute l'histoire, que 6P0 saupoudra de bruitages et de commentaires inutiles.

— Jacen aurait certainement répondu s'il l'avait pu, fit remarquer le plus jeune des Solo.

— Sans aucun doute, approuva 6P0 avec enthousiasme. Maître Jacen n'a pas le sens de l'organisation, mais il est très consciencieux.

— Il doit donc avoir des problèmes, conclut Leia.

Elle réfléchit quelques instants, prit une décision et passa aussitôt à l'action, démontrant une fois de plus qu'elle n'était pas présidente pour rien.

— Nous devons partir à leur recherche, dit-elle fermement. Tenel Ka n'aurait jamais laissé Jacen faire quelque chose de *dangereux*, mais je doute qu'elle emploie ce mot plus d'une fois par an. ( Elle se dirigea vers une console. ) Je vais demander à un groupe de gardes de nous accompagner. 6P0, peux-tu localiser le communicateur de Jacen ?

— Mon système de détection n'est pas aussi précis que je le souhaiterais, mais en envoyant un signal continu, et en recoupant les données, je devrais pouvoir...

— Avec quelle précision ? l'interrompit Leia, impatiente.

— Oh, à une dizaine de mètres près, je suppose.

— Ça ira.

Anakin poussa un soupir de soulagement.

— Espérons simplement que Jacen n'a pas perdu son communicateur.

— On s'en inquiétera une fois sur place, dit Leia.

Saisissant un médikit, elle se précipita vers la sortie.

Dans le couloir, elle fit signe aux gardes de l'accompagner.

— 6P0, dans quelle direction allons-nous ?

Le droïd la suivait aussi vite que ses jambes mécaniques le lui permettaient.

— Vers la gauche, maîtresse Leia. Il faut trouver un turbo-ascenseur et descendre de quarante-deux étages.

Anakin essayait d'imaginer un plan.

En vain.

— Tu ferais mieux de passer le premier, 6P0, dit-il...

Leia, les gardes et Anakin suivirent le droïd sur la passerelle branlante qui reliait les deux immeubles en ruine.

Le droïd doré savourait en esthète l'attention qu'on lui portait.

Au-dessus et au-dessous d'eux, les immeubles s'étendaient à perte de vue. À un endroit où la rambarde était cassée, Anakin glissa et manqua tomber. Instinctivement, Leia tendit un bras vers lui et le retint. Elle s'assura qu'il allait bien et le serra brièvement contre elle.

— Fais attention, mon chéri. Nous devons être très prudents.

Anakin frissonna. Sur les cartes, cet endroit n'avait pas l'air si dangereux que ça. Alors qu'ils approchaient de l'origine du signal, le jeune garçon remarqua un dessin gravé avec une fréquence inquiétante sur les murs poussiéreux : un triangle contenant une croix.

— Je me demande ce que c'est, dit-il en tendant le doigt.

— Je pratique six millions de formes de communication, pontifia aussitôt 6P0. Malheureusement, mes banques de données ne contiennent rien au sujet de ce symbole.

Leia se tourna vers les gardes.

— L'un de vous sait ce que ça signifie ?

— Je crois que c'est le signe de reconnaissance

d'un gang, madame la présidente. Un de ces groupes de gens... peu recommandables installés dans les niveaux inférieurs. Ils sont très difficiles à attraper...

— J'ai entendu Zekk parler avec Jacen et Jaina d'un gang appelé Génération Perdue, intervint Anakin. Je pense qu'il voulait y entrer...

Leia pinça les lèvres et hocha la tête, archivant l'information dans un coin de son cerveau afin de l'utiliser ultérieurement.

Pour l'heure, elle voulait simplement retrouver son fils et Tenel Ka.

6P0 s'arrêta pour étudier les signaux.

— Maudits soient mes senseurs ! Mon collègue D2-R2 aurait été beaucoup plus efficace que moi. Mais je pense que nous sommes à moins de deux cents mètres du communicateur de maître Jacen.

Alors qu'ils s'enfonçaient dans un labyrinthe de couloirs, l'obscurité s'épaissit autour d'eux. Les gardes se regardèrent nerveusement, l'index sur la détente de leur arme. Leia accéléra le pas, l'air résolu.

6P0 régla son système optique pour projeter une douce lumière jaune devant eux. Anakin serra sa lampe-torche pour se rassurer, comme s'il avait tenu un sabrolaser.

6P0 tourna sur la droite et s'engagea dans un passage bas et étroit. Même Anakin dut se plier en deux pour le suivre.

— Tu es sûr que c'est la bonne direction ?

— Absolument. Souvenez-vous que nous avançons en ligne droite vers le signal. Maître Jacen a sans doute pris un autre chemin. Nous ne sommes plus qu'à une trentaine de mètres.

Ils débouchèrent dans une grande salle aux murs couverts de panneaux lumineux. Anakin regarda autour de lui ; découvrant une étrange configuration de meubles et de coussins, il déclara :

— Ce doit être le repaire de Génération Perdue.

— Mon Dieu ! s'exclama 6P0. Maître Zekk n'a-t-il pas dit que ces gens étaient... agressifs... avec leurs visiteurs ?

Un silence de mort planait dans la pièce. Bien que celle-ci fût vide et assez bien éclairée, Anakin captait quelque chose qui le mettait mal à l'aise. Il fit un bond lorsque 6P0 baissa la tête et s'écria :

— C'est ma faute ! Oh, maudite soit la lenteur de mes processeurs. Nous aurions dû venir plus tôt...

Anakin, Leia et les gardes se précipitèrent près du droïd pour découvrir la cause de ses gémissements. Jacen et Tenel Ka gisaient dans un coin, inconscients... ou peut-être morts.

Leia ouvrit son médikit, en sortit un mini-diagnostiqueur et examina les deux jeunes gens.

— Tout va bien. Ils sont vivants, dit-elle en posant une main sur le front de son fils.

Jacen reprit connaissance le premier ; à en juger par son expression, Anakin comprit que les nouvelles devaient être mauvaises.

— Ça va ? demanda-t-il à son frère.

Jacen déglutit.

— Tenel Ka... ? balbutia-t-il.

— Elle va bien aussi, le rassura Leia. Elle a juste été assommée. Que s'est-il passé ?

Jacen frissonna comme si la température avait chuté de plusieurs degrés.

— Tamith Kai, la Sœur de la Nuit que nous

avons rencontrée à l'Académie de l'Ombre, était là avec deux de ses amis. ( Il ferma ses yeux noisette, comme si ce souvenir lui était insupportable. ) Et ils ont emmené Zekk ! Je crois... je crois qu'il s'est rallié au Côté Obscur.

La nouvelle coupa le souffle d'Anakin comme un coup de pied de bantha dans l'estomac.

— Ils l'entraîneront pour en faire un Jedi Obscur.

Tenel Ka grogna et s'assit à côté de lui.

— C'est un fait...

— Il y avait avec eux plusieurs membres de Génération Perdue. Je crois que Tamith Kai les a tous emmenés à son académie.

Leia secoua la tête, ses yeux noirs lançant des éclairs.

— Je pense qu'il est temps de faire quelque chose au sujet du Second Imperium. Par deux fois, ses envoyés ont maltraité mes enfants.

— Tout ça est bien beau, maîtresse Leia, mais nous devons d'abord rentrer à la maison, lui rappela 6P0. Maîtresse Tenel Ka, êtes-vous en état de marcher ?

La jeune guerrière plissa le front comme si le droïd venait de l'insulter.

— Je pourrais te soulever d'un seul bras, en cas de besoin.

Jacen pouffa, puis il gémit et porta les deux mains à sa tête.

Le droïd de protocole accourut.

— Ne t'inquiète pas, 6P0 : elle va tout à fait bien. Mais mon crâne, lui...

# CHAPITRE XX

Dans la station orbitale, Jaina, Lowie et Chewbacca avaient bricolé presque tous les sous-systèmes, utilisant quelques composants de rechange et beaucoup d'ingéniosité. Hélas, il leur avait été impossible de programmer les synthétiseurs pour en tirer un repas gastronomique et ils avaient dû se contenter d'une bouillie à peine mangeable.

Pour l'heure, Jaina achevait de reconnecter le système de communication. D'ici peu, Peckhum pourrait à nouveau envoyer des messages, à condition de n'être pas trop regardant sur la qualité. Chewbacca inspectait les systèmes de survie et la ventilation.

Peckhum les regardait en s'acquittant des tâches de routine. Il débordait de gratitude et rappelait sans cesse à quel point il appréciait leurs efforts.

— Si j'avais attendu que la Nouvelle République

se charge des réparations, Zekk aurait été centenaire...

Il secoua tristement la tête et se tut.

Pendant que Jaina et Chewbacca mettaient la dernière main aux réparations, Lowie achevait d'inscrire les orbites des débris sur sa carte tridimensionnelle. Cette tâche répétitive avait vite dégoûté Jaina, mais le jeune Wookie savait se montrer très patient, surtout quand ça lui donnait l'occasion de rester assis devant un ordinateur.

Son travail terminé, Jaina vint jeter un coup d'œil par-dessus l'épaule de Lowie, puis s'installa à une autre console et visionna des enregistrements de la mystérieuse attaque de l'*Adamantin*. Le lendemain des événements, Jacen, Lowie et elle avaient facilement identifié la navette d'assaut modifiée, avec ses dents faites de gemmes corusca : c'était celle qui les avait conduits de force à l'Académie de l'Ombre.

L'amiral Ackbar avait confirmé leur description. Voler du matériel militaire faisait sans nul doute partie des objectifs de l'Académie. D'après la description du Calamarien, Jaina avait compris que le commandant de l'attaque n'était autre que Qorl, l'homme que son frère et elle avaient aidé à quitter Yavin 4.

La jeune fille soupira et secoua la tête. Elle avait espéré que Qorl comprendrait ses erreurs et ferait machine arrière. De fait, le pilote avait semblé sur le point de céder, mais le lavage de cerveau perpétré par l'Empire avait eu raison de ses hésitations. Maintenant, il allait occasionner bien des ennuis à la Nouvelle République.

Jaina visionna la scène pour la troisième fois.

Réalisé par les forces de la Nouvelle République qui volaient au secours de l'*Adamantin*, l'enregistrement était d'une qualité plus que discutable. Pourtant, quelque chose tracassait la jeune fille et elle n'arrivait pas à mettre le doigt dessus.

Jaina regarda la navette à gueule de requin jaillir de nulle part pendant que les tirs des autres vaisseaux impériaux neutralisaient les communications et l'armement de l'*Adamantin*.

Soudain, la jeune fille fit un bond sur sa chaise. Elle s'était concentrée sur le vaisseau de Qorl, mais c'étaient *les autres* qui n'auraient pas dû être là.

— C'est impossible ! s'écria-t-elle.

Chewbacca tourna la tête et grogna, l'air interrogateur.

— Je connais tous les types de chasseurs impériaux, poursuivit Jaina, très agitée, en désignant l'écran du doigt. Papa m'a tout appris à leur sujet. Et je mettrais ma tête à couper que ceux-là sont des vaisseaux à faible autonomie. Leur base devait se trouver tout près, cachée quelque part dans notre système !

Chewbacca poussa un rugissement de surprise. Mais Lowie, plié en deux dans une chaise trop petite pour lui, les sourcils froncés à force de concentration, ne leva pas le nez de son écran.

Puis il bondit hors de son siège et parla très vite en faisant de grands gestes.

— Votre attention ! Votre attention ! Maître Lowbacca pense également avoir découvert quelque chose. C'est en rapport avec la configuration des débris orbitaux, je crois. Bien sûr, je ne peux pas en juger moi-même, puisqu'il n'a pas cru bon de me demander mon avis, pleurnicha DTM. Calmez-vous, maître Lowbacca, et expliquez-nous ce qui vous tracasse.

Jaina et Chewbacca se précipitèrent vers Lowie pour observer les milliers de points éparpillés sur la carte tridimensionnelle.

— Mais... ça aussi, c'est impossible, protesta la jeune fille. C'est exactement le contraire de ce que nous prévoyions.

Elle n'avait pas encore trouvé de réponse au problème qui la préoccupait, et voilà que Lowie en soulevait un autre, plus étonnant encore.

Ils avaient entrepris de dresser une carte des débris afin de déterminer lesquels constituaient un danger pour la navigation spatiale. Mais au lieu de mettre en évidence les causes de la destruction du *Larme-de-Lune*, la reconstitution de Lowie ne révélait... absolument rien dans la zone concernée.

On eût dit que quelqu'un l'avait entièrement nettoyée. Pourtant, la navette n'avait pas explosé toute seule...

Des parasites grésillèrent dans les haut-parleurs et quelques mots résonnèrent dans l'espace confiné de la station.

— Il y a quelqu'un ? Jaina, c'est moi.

Peckhum leva la tête.

— Au moins, ça fonctionne...

— On dirait Jacen !

Jaina se précipita vers la console et appuya sur un bouton. Des étincelles crépitèrent sous ses doigts. Elle poussa un petit cri et arracha le panneau de protection pour chercher le court-circuit. Grâce à la Force, elle le trouva vite et put réparer les dégâts.

— ... êtes là ? dit la voix de Jacen dans le haut-parleur. Jaina, réponds-moi ! C'est très important. Nous avons retrouvé Zekk. ( Un nouveau grésillement. ) ... mauvaises nouvelles...

— Zekk ! s'écria Peckhum en se précipitant vers le micro. ( Il se pencha par-dessus l'épaule de Jaina. ) Jacen ? Où est-il ? Il va bien ?

Jaina repoussa la mèche de cheveux qui lui tombait dans les yeux.

— Un instant. Je n'ai pas encore rétabli la ligne.

Elle retira le fusible fondu et le remplaça par un neuf.

— Ça devrait aller. D'accord, Jacen, on te reçoit. Et toi ?

— Pas terrible, mais ça ira.

— Qu'est-il arrivé à Zekk ? demanda la jeune fille en retenant son souffle. Il n'est pas... ?

— Mort ? Non. On l'a trouvé en compagnie de Tamith Kai et de deux autres instructeurs de l'Académie de l'Ombre, qui nous ont assommés.

— Tamith Kai ! s'exclama Jaina.

Lowbacca poussa un grognement ; même DTM émit un bip de protestation.

— Mais que faisait-elle sur...

— Elle a recruté Zekk et une poignée de membres de Génération Perdue. J'ignore où elle les a emmenés, mais Zekk semblait l'accompagner de son plein gré. Tamith Kai a dit qu'elle allait en faire un Jedi Obscur ! Ils partaient pour l'Académie de l'Ombre.

— Zekk, un Jedi Obscur ? Mais il n'a pas le potentiel, protesta Jaina.

— Apparemment, si. Souviens-toi qu'oncle Luke a rencontré beaucoup d'étudiants qui n'étaient pas conscients de leurs capacités. Zekk a toujours eu un don pour trouver des objets à récupérer là où des tas de gens étaient passés avant lui. Nous aurions dû nous en douter...

Jaina baissa la tête. Ils avaient passé tant de temps avec Zekk ; comment avaient-ils pu être aveugles à ce point ?

— Où est-il en ce moment ?

— Je ne sais pas, admit tristement Jacen. Les acolytes de Tamith Kai nous ont assommés puis ils ont disparu. Maman et Anakin sont venus à notre secours, mais plusieurs heures s'étaient écoulées. Ils ont sûrement quitté la planète. Je n'ai aucune idée de l'endroit où ils sont allés.

Jaina se prit la tête entre les mains.

— Pas toi, Zekk ! Pas toi !

Elle leva la tête ; ses joues étaient baignées de larmes.

— L'Académie de l'Ombre ! chuchota-t-elle en se tournant vers Lowie. Souviens-toi, leur système de brouillage fait disparaître la station entière, comme s'il y avait un trou dans l'espace. Tu penses à la même chose que moi ?

Le jeune Wookie poussa un grognement approbateur. Jaina se pencha vers le micro.

— On sait exactement où ils se trouvent, Jacen. ( Elle jeta un coup d'œil vers la carte tridimensionnelle de Lowie et sa zone vide. ) Dis à maman de contacter l'amiral Ackbar. Il va falloir mobiliser la flotte de la Nouvelle République. Lowie t'envoie les coordonnées. Nous devons frapper vite, avant que les Impériaux réalisent que nous les avons percés à jour.

— Génial ! s'exclama Jacen. Et toi, que vas-tu faire ?

— Jeter un peu plus de lumière sur la question, répondit Jaina en souriant.

Harnaché dans le siège de commande, Peckhum effectuait les réglages. La tête en l'air, le regard fixé sur les miroirs géants, Jaina le guidait à voix basse.

— Plus à droite. Encore. Encore !

— Je suis déjà au maximum, gémit le vieil homme, désespéré. ( Il avait les mâchoires serrées, les muscles du cou tendus à craquer et le front luisant de sueur. ) Le matériau est très fragile. Si je le malmène, il risque de se déchirer !

Par la baie vitrée, Jaina regarda la flotte de la Nouvelle République quitter l'orbite et s'élancer vers une cible invisible. Les armes chargées jusqu'à la gueule, les vaisseaux fonçaient vers la zone vide.

Il fallait forcer l'Académie de l'Ombre à se montrer avant qu'ils parviennent à destination.

Lowie grogna une question, que DTM s'empressa de transmettre.

— Maître Lowbacca souhaite savoir si les focalisateurs ont condensé les rayons jusqu'à leur puissance optimale.

— Oui. Dès que les miroirs seront en place, ça va chauffer, répondit Peckhum.

Enfin les panneaux adoptèrent la position voulue. Un faisceau de lumière aveuglante balaya l'espace comme une gigantesque lampe-torche.

Normalement, il aurait dû traverser le système solaire, mais lorsqu'il atteignit la zone vide, l'espace scintilla comme s'il était plein d'une fumée dorée.

Un flot de lumière bombarda le système de brouillage de l'Académie de l'Ombre jusqu'à ce que ses boucliers d'invisibilité cèdent.

— Là ! s'écria Jaina, triomphante.

La station impériale était une grande sphère hérissée de canons et de tours d'observation. Lowie et Chewbacca rugirent à l'unisson.

Jaina secoua la tête.

— Depuis le début, ils se cachaient sur le pas de notre porte. Pas étonnant qu'ils aient pu utiliser des vaisseaux à faible autonomie contre l'*Adamantin* ! Pas étonnant non plus que Tamith Kai et ses acolytes aient pu se glisser dans la ville pour enlever Zekk.

— Il doit être là-haut avec eux, chuchota Peckhum.

— Les petits voyous de Génération Perdue aussi.

Chewbacca grogna et tendit un doigt vers la station impériale, qui venait de se mettre en mouvement. Ses propulseurs bâbords s'allumèrent, virèrent au blanc bleuté et entreprirent de l'éloigner du rayon ennemi.

— Suivez-les avec les miroirs, ordonna Jaina. Il ne faut pas les perdre.

— J'espère que nos chasseurs réussiront à arraisonner cette académie de malheur, fulmina DTM. Je suis toujours outré que ces gens m'aient reprogrammé quand nous étions prisonniers...

Peckhum saisit de nouvelles coordonnées dans l'ordinateur central, mais le brutal changement de direction eut raison des miroirs argentés. Les câbles qui les arrimaient à la station cédèrent, et un grand pan de ténèbres étoilées apparut entre les panneaux.

— Ils ne tiendront pas le coup ! Ils n'ont pas été conçus pour suivre une cible mobile, gémit Peckhum. Mes pauvres miroirs !

L'Académie de l'Ombre continua à accélérer tandis que Jaina regardait la flotte de l'amiral Ackbar en lui adressant une supplique muette. *Plus vite ! Plus vite !*

Mais elle voyait bien que les vaisseaux n'arriveraient pas à temps.

— L'Académie devait se tenir prête à partir, réfléchit-elle à voix haute. Après le vol des générateurs d'hyperdrive et des lasers, les Impériaux n'attendaient sans doute plus que l'arrivée des recrues de Tamith Kai. Rester ici les aurait mis en danger.

La station accéléra, se dirigeant vers son point de saut dans l'hyperespace. Le vaisseau de tête de la Nouvelle République ouvrit le feu. Plusieurs tirs atteignirent leur but, éraflant la coque de l'Académie. Les miroirs solaires avaient dû endommager aussi les boucliers défensifs.

Jaina se concentra sur l'Académie, à la recherche de Zekk. Elle ne s'habituait pas à l'idée que le gamin des rues ait eu à leur insu le potentiel d'un Jedi.

— Il était notre ami, et nous n'avons jamais rien deviné, murmura-t-elle. Maintenant, il est trop tard...

Elle se sentait affreusement coupable.

Alors que les vaisseaux de la Nouvelle République se déployaient autour d'elle, l'Académie de l'Ombre atteignit la vitesse de passage en hyperdrive.

Son accélération déforma l'espace environnant.

Puis elle disparut.

Jaina sentit sa gorge se serrer. Cette fois, les Impériaux emmenaient leur ami avec eux.

# CHAPITRE XXI

Debout devant la baie vitrée, Jaina et Lowie observaient les coordonnées où venait de disparaître la station impériale. Bras le long du corps, tête baissée, la jeune fille ferma les yeux pour mieux lutter contre les larmes qui s'accumulaient sous ses paupières. Un cri silencieux jaillit dans son esprit.

*Ne t'en va pas, Zekk ! Reviens !*

Peckhum gardait le silence. Il n'arrivait pas à croire que ses précieux miroirs aient été endommagés, et moins encore que Zekk avait rallié le Second Imperium.

— Il est parti, chuchota le vieil homme, la voix brisée par le chagrin.

Lowie posa une main sur l'épaule de Jaina, qui se sentit quelque peu réconfortée. Elle inspira profondément et sonda à nouveau l'espace.

Un mouvement attira son regard.

— Là ! dit-elle en saisissant le bras poilu de Lowie. Tu as vu ?

Peckhum plissa les yeux ; le jeune Wookie émit un grognement interrogatif.

— Il y a quelque chose à l'emplacement de l'Académie ! s'écria la jeune fille, tout excitée.

Lowie grommela quelque chose.

— Maître Lowbacca dit que c'est sans doute un vaisseau de la Nouvelle République, ou un des débris que vous deviez étudier, traduisit DTM.

— Sûrement pas ! s'obstina Jaina. Vaisseaux ou débris, ils auraient déjà été détruits, comme le *Larme-de-Lune*.

Peckhum se pencha sur la console de communication.

— Étrange. Cet objet semble émettre un signal.

— Il n'a pas l'air très gros, commenta Jaina en étudiant l'écran. Ça pourrait être une nacelle de secours.

Lowie haussa les sourcils d'un air dubitatif. Chewbacca, qui revenait de l'unité principale de stabilisation, où il avait en vain tenté des réparations manuelles sur les miroirs, poussa un grognement négatif.

— On dirait plutôt une capsule à messages, approuva Peckhum. Puisque nos transmetteurs fonctionnent, pourquoi ne pas demander à la flotte de la Nouvelle République de la cueillir au passage ?

— On attend quoi ? Appelons vite l'amiral Ackbar.

Pendant que Lowie se chargeait de la transmission, Jaina laissa ses pensées vagabonder.

— Il y a quelques années, oncle Luke m'a parlé d'un de ses premiers étudiants, un jeune homme appelé Kyp Durron. Il avait réussi à se glisser dans une capsule à messages...

Elle se concentra sur l'objet, essayant d'utiliser la Force pour recueillir des informations. Mais elle ne sentit pas la présence de son ami aux cheveux noirs. Quoi qu'il lui soit arrivé, Zekk ne se trouvait pas dans la capsule.

Du moins, pas vivant.

Jaina regardait par-dessus l'épaule de Peckhum pendant que celui-ci ramenait le *Bâton de Foudre* vers Coruscant. L'angle de vue de la jeune fille était partiellement bloqué par la silhouette massive de Chewbacca, qui occupait le siège du copilote... et une bonne partie de la place alentour.

Jaina se sentait nerveuse en songeant au message que contenait peut-être l'objet abandonné par l'Académie de l'Ombre.

Elle aurait voulu dire à Peckhum de rentrer aussi vite que possible pour qu'ils puissent assister à l'ouverture de la capsule. Mais ç'aurait été peu charitable, et impoli. Partageant son anxiété, ses compagnons poussaient déjà le vieux vaisseau à la vitesse maximale autorisée. Dans leurs nacelles, les moteurs émettaient des sons bizarres, comme s'ils étaient sur le point de se disloquer.

À côté de Jaina, Lowie gardait le silence. Seules les marques laissées par ses doigts sur les accoudoirs de son siège indiquaient qu'il éprouvait une angoisse similaire à celle de la jeune fille.

Alors qu'ils pénétraient dans l'atmosphère de

Coruscant, Jaina ferma les yeux et tenta d'utiliser une des techniques de relaxation Jedi que lui avait enseignées Luke. Pour une fois, cela n'eut pas l'effet escompté.

Avec un soubresaut, le *Bâton de Foudre* se posa sur une des pistes d'atterrissage de la Cité Impériale.

Jaina arracha son harnais de sécurité et bondit à terre sans attendre que la rampe d'accès se mette en place. Elle repéra vite ses parents, ses deux frères et Tenel Ka, près d'un vaisseau de la Nouvelle République fraîchement arrivé. Déjà, des soldats déchargeaient la capsule. La jeune fille se précipita vers eux.

— Est-il possible que des explosifs ou d'autres armes soient dissimulés à l'intérieur ? demanda Leia à l'amiral Ackbar.

— Non. Nous avons effectué tous les contrôles d'usage.

— Pas de bombes biologiques non plus ? s'enquit Yan.

Le Calamarien secoua sa tête de poisson.

— Il ne peut rien y avoir de dangereux là-dedans, intervint Jaina. Ça vient de Zekk, je le sens...

Trois autres voix s'élevèrent pour appuyer ses dires.

— Elle a raison.

— Je le sens aussi.

— C'est un fait.

— Néanmoins, dit l'amiral Ackbar, dans l'intérêt de tous, il faudrait peut-être...

Incapable de supporter cette attente, Jaina passa en trombe entre les gardes et activa le mécanisme d'ouverture de la capsule. Avec un sifflement dû à la dépressurisation, le panneau glissa sur le côté, révélant une masse de câbles et de verracier.

— Qu'est-ce donc ? demanda Leia, surprise.

— Reculez ! cria l'amiral Ackbar.

Les gardes se tendirent, comme s'ils s'attendaient à une explosion.

Yan jeta un coup d'œil à l'intérieur de la capsule, puis se tourna vers Chewbacca et Peckhum, qui les avaient rejoints.

— Qu'en penses-tu, Chewie ?

Le Wookie se gratta la tête et émit une suite d'aboiements étonnés.

— C'est aussi ce que je crois, acquiesça Yan.

— Alors, vous allez nous dire de quoi il s'agit, oui ou non ? s'impatienta Jacen.

— C'est une unité multitâche, chuchota Jaina, le souffle court. Pour Peckhum, de la part de Zekk.

— Ce gamin n'a encore jamais manqué à sa parole, dit le vieil homme, l'air satisfait.

À cet instant, un holoprojecteur s'alluma, et une minuscule image de Zekk apparut au-dessus de la capsule. Quand elle prit la parole, Jaina se mordit les lèvres jusqu'au sang.

— Mes professeurs n'approuvent pas ce que je suis en train de faire, aussi serai-je bref.

« Peckhum, mon ami, voici l'unité multitâche que je t'avais promise. Tu as toujours attendu le meilleur de ma part, et je me suis toujours efforcé de te le donner. Ce qui arrive doit être dur pour toi, mais je veux que tu saches que je n'ai pas été kidnappé, et qu'on ne m'a pas non plus lavé le cerveau.

« Jacen et... ( l'hologramme hésita ) Jaina, il

semble que j'aie vraiment le potentiel d'un Jedi. Je vais devenir *quelqu'un*, comprenez-vous ? Nous avons été amis, et je ne vous ferai jamais de mal. Je suis désolé d'avoir perturbé le banquet de votre mère, mais c'est justement pour ça que je pars. J'ai enfin une chance de m'améliorer... Une chance que personne, dans la Nouvelle République, ne m'a jamais donnée.

Jaina poussa un grognement et ferma les yeux ; l'hologramme poursuivit :

— Je sais que vous ne m'approuvez pas, mais si on se retrouve un jour, vous pourrez être fiers de moi. Ne t'inquiète pas, Peckhum, je ne te laisserai jamais tomber. Tu as été mon ami le plus cher, et si j'ai une possibilité de revenir vers toi, je le ferai.

Quand Jaina rouvrit les yeux, l'image avait disparu. De toute façon, elle aurait été incapable de la voir à travers ses larmes.

# CHAPITRE XXII

Le hangar souterrain du Grand Temple de Yavin 4 était frais et agréable, comme pour mieux accueillir les voyageurs de retour à l'Académie Jedi. Luke Skywalker émergea du sas et resta dans l'ombre tandis que ses étudiants descendaient l'échelle à sa suite.

À l'époque où le Grand Temple était une base secrète, une activité frénétique régnait dans ce hangar plein d'ailes X, d'équipements bruyants, de droïds et de pilotes. À présent, elle avait cédé la place à un calme propice à la contemplation.

Luke se tourna vers les jeunes Chevaliers Jedi qui sortaient du *Chasseur d'Ombre*, le vaisseau impérial que Tenel Ka et lui avaient volé quelques mois plus tôt en se portant au secours des jumeaux et de Lowbacca.

Le Maître Jedi était troublé, comme ses étudiants.

Avec l'aide de l'Académie de l'Ombre, un groupe de renégats se faisant appeler le Second Imperium représentait une menace de plus en plus précise pour la paix fragile que la Nouvelle République avait préservée au cours des vingt dernières décennies. Luke sentait que se préparait une grande bataille qui déciderait du sort de la galaxie.

L'Académie de l'Ombre cherchait des candidats Jedi avec une hardiesse inquiétante. Elle semblait même accueillir à bras ouverts des recrues dépourvus de potentiel. Pourquoi ?

Sans oublier le vol de matériel militaire qui lui permettrait de se doter d'une flotte puissante.

Quelque chose se produirait bientôt... et ça n'aurait rien d'agréable pour la Nouvelle République.

Luke était allé chercher ses étudiants sur Coruscant, profitant de l'occasion pour voir sa sœur et en apprendre davantage sur le Second Imperium.

Depuis le décollage, aucun des jeunes Chevaliers n'avait beaucoup parlé. Chacun était plongé dans ses pensées.

À présent, ils étaient de retour à l'Académie où s'entraînaient les futurs défenseurs de la République. Luke leva la tête vers le soleil qui pénétrait dans le hangar par les portes grandes ouvertes et se reflétait sur le fuselage brillant du *Chasseur d'Ombre*.

— C'est un vaisseau magnifique, soupira Jaina en le caressant. Regardez sa ligne, quelle élégance !

— Ça en fait toujours un que l'Académie de l'Ombre n'aura pas, ajouta Jacen.

Luke hocha la tête.

— Mais il nous montre ce que nos ennemis sont capables de faire. Pensez à ce qu'ils construiront avec les nouveaux générateurs d'hyperdrive et les lasers qu'ils viennent de nous voler.

— C'est un fait, dit Tenel Ka.

Luke sortit dans la lumière du jour, suivi par les quatre jeunes gens. Des gouttelettes de rosée brillaient encore sur les feuilles vert foncé des arbres massassi. L'air de la jungle était empli d'une riche odeur d'humus et vibrait des milliers de sons de la faune.

Jacen fronça les sourcils et se tourna vers le hangar pour jeter un dernier regard au *Chasseur d'Ombre*.

— Je n'arrive toujours pas à croire que Zekk ait choisi le Côté Obscur, soupira-t-il. Oncle Luke, que peut-on faire pour lui ? C'était notre ami, et le voilà dans l'autre camp.

— C'est notre faute, grogna Jaina, les dents serrées. Nous ne lui avons pas montré qu'il était aussi important que quiconque. Nous n'avons même pas réalisé qu'il avait le potentiel de devenir un Jedi. C'est notre faute.

— Ce n'est pas si simple, dit doucement Luke, conscient du désespoir de la jeune fille. Dark Vador lui-même n'avait pas détecté le potentiel de votre mère. Et pourtant, il avait passé beaucoup de temps près d'elle. Tu ne dois pas t'accabler de reproches, Jaina.

— Zekk a fait son choix pour des raisons qui lui sont propres, dit Tenel Ka, les yeux perdus dans le vague. Comme nous tous...

— Mais comment a-t-il pu nous trahir de la sorte ? se lamenta Jacen.

— Il ne nous a pas trahis ! répliqua Jaina. Et il ne le fera pas, il l'a promis. Il reviendra, je le sais.

— Le Côté Obscur de la Force est très attirant, intervint Luke. Il est possible de s'en détourner, mais le prix est toujours élevé. Votre grand-père y a laissé sa vie...

« Tout espoir n'est pas encore perdu pour Zekk, ni même pour Brakiss. On ne sait jamais. Pour l'instant, la seule chose certaine, c'est que les forces des ténèbres se préparent à la guerre.

— Pourquoi sommes-nous obligés d'attendre que les Impériaux frappent les premiers ? demanda Jacen. Ne pourrions-nous pas nous préparer aussi ?

Luke dévisagea les quatre jeunes Jedi avec fierté, puis il se tourna vers le soleil pour sentir la brise lui caresser le visage.

— Bien sûr que nous allons nous préparer, dit-il d'une voix pleine de tristesse et d'espoir. Une grande bataille s'annonce, et les Chevaliers Jedi n'ont pas d'autre choix que d'y participer.

## À PROPOS DES AUTEURS

Kevin J. Anderson et son épouse, Rebecca Moesta, ont participé à de nombreux projets Star Wars. Ensemble, ils travaillent à la saga des Jeunes Chevaliers Jedi, destinée aux adolescents, ainsi qu'à la série des Chevaliers Jedi Juniors qui s'adresse à de plus jeunes lecteurs. Ils ont également écrit des livres animés ayant pour cadre la célèbre Cantine de Mos Esley et le Palais de Jabba le Hutt.

Kevin J. Anderson est aussi l'auteur de la trilogie de l'Académie Jedi — parue chez Pocket SF —, du best-seller *Darksaber*, encore inédit en France, et de la bande dessinée *La Guerre de la Sith*, chez Dark Horse Comics. À l'occasion, Kevin coiffe la casquette de l'anthologiste, toujours dans l'univers de Star Wars. Citons par exemple les *Légendes de la Cantine de Mos Esley*, où une nouvelle porte la signature de Rebecca.

POCKET *junior*

# STAR WARS ®

## LA GUERRE DES ÉTOILES

**De Kevin J. Anderson & Rebecca Moesta**

Les jeunes chevaliers Jedi 1
**Les enfants de la force**

*Depuis la défaite de l'Empire, les années ont passé. Jacen et Jaina, les enfants jumeaux de Leia et de Yan Solo, viennent d'intégrer l'Académie Jedi fondée par Luke Skywalker. Avec leurs amis Tenel Ka et Lowbacca, ils décident d'explorer la jungle. Un jour, les quatre adolescents découvrent l'épave d'un chasseur Tie. Par défi, ils entreprennent de le remettre en état. Dans l'ombre, on les épie, on attend cet instant depuis vingt ans...*

Les jeunes chevaliers Jedi 2
**Les cadets de l'ombre**

*Même vaincu, l'Empire ne désarme pas. Il garde une arme secrète : le Côté Obscur de la Force. Un ancien élève de Luke, Brakiss, forme un commando de Jedi Obscurs. Bientôt une superbe occasion s'offre à lui : enlever Jacen et Jaina Solo, rien de moins ! Parviendra-t-il à les rallier au Côté Obscur ? Ou Luke Skywalker, parti à la recherche des jumeaux, arrivera-t-il à temps pour les sauver ?*

Les jeunes chevaliers Jedi 3
**Génération perdue**

*Sur Coruscant, Jacen et Jaina savourent les joies des vacances en famille. Par hasard, ils rencontrent un de leurs « vieux » amis, Zekk. Orphelin, le garçon vit dans les rues où il goûte la liberté avec l'insouciance de l'adolescence. Face aux jumeaux, il se sent comme un sale gosse sans intérêt... Qu'il se détrompe ! Son potentiel est énorme, et il fascine une entité maléfique, un monstre qui sait attirer à lui ceux qui n'ont plus rien à perdre !*

**De Paul & Hollace Davids**

La saga du Prince Ken 1
**Le gant de Dark Vador**

*L'empereur est mort, les Rebelles ont proclamé la république. Mais Kadann, le Prophète Suprême du Côté Obscur, prédit qu'un nouvel empereur se dressera bientôt. À la main, il devra porter le gant du Seigneur Noir. Et ce défi-là, Trioculus, le mutant aux trois yeux, est prêt à le relever.*

La saga du Prince Ken 2
**La cité perdue des Jedi**

*Ken a douze ans. Élevé par deux droïds au fond d'une ville souterraine, il est heureux de rencontrer Luke Skywalker, qui promet de lui faire découvrir l'espace. Mais Kadann, le Prophète Suprême, a prédit qu'un jeune prince Jedi causerait la perte de Trioculus et l'imposteur, fou de rage, arrive pour éliminer le gêneur.*

La saga du Prince Ken 3
**La vengeance de Zorba le Hutt**

*Yan et Leia ont des projets d'avenir. Mais Trioculus verrait bien la princesse en impératrice du Côté Obscur ! Là-dessus Zorba le Hutt, revenant sur Tatooine, apprend que c'est Leia qui, de ses blanches mains, a tué son fils Jabba. Le père monstrueux médite une atroce vengeance.*

La saga du Prince Ken 4
**Le Prophète Suprême du Côté Obscur**

*Une planète qui meurt ; une prophétie mortelle pour l'Alliance...
Sur le mont Yoda, dans leur forteresse, les Rebelles continuent la
lutte. Mais un visiteur leur apporte une terrible nouvelle : Kadann,
le Prophète Suprême du Côté Obscur, veut récupérer le corps
congelé de Trioculus pour prendre le contrôle de l'Empire.*

La saga du Prince Ken 5
**La reine de l'Empire**

*Yan Solo demande Leia en mariage. Mais Zorba le Hutt, toujours
avide de vengeance, enlève la princesse et la livre à Trioculus, qui
rêve d'en faire sa femme. Leia hésite. Pour devenir la reine de
l'Empire, doit-elle céder au Côté Obscur ? La mariée est prête à
dire oui — mais pour quelles noces ?*

La saga du Prince Ken 6
**Le destin du Prince Jedi**

*Kadann poursuit sa conquête. Bientôt, il régnera sur un nouvel
Empire. Mais les combattants de l'Alliance sont prêts à lui barrer
la route. Dans la Cité Perdue des Jedi se joue le destin d'un prince
à la recherche de son identité. Comme Luke, fils de Dark Vador,
Ken devra apprendre à vivre avec son terrible héritage.*

**De Christopher Golden**

Novélisation du jeu micro
**Les ombres de l'Empire**

*L'Empire a réussi sa contre-attaque, Dark Vador va capturer Luke.
Mais Xizor, parrain d'un syndicat du crime, veut être le premier à
s'emparer du jeune Rebelle : dans cette chasse à l'homme, le vain-
queur pourra liquider les derniers Rebelles... et conquérir la
faveur de l'Empereur.*

Achevé d'imprimer par Maury-Eurolivres S.A.
45300 Manchecourt

*Imprimé en France*

Dépôt légal : mars 1997.